Les fameuses recettes
de grammaire

**& délices littéraires,
humoristiques et poétiques**

Christiane Asselin

**Avec la participation spéciale de
Francis Pelletier, écrivain et éditeur**

Sans la collaboration aussi généreuse qu'extraordinaire des artistes suivants,
romanciers, auteurs, poètes et conteurs, cette grammaire ne serait pas devenue ce qu'elle est :
un ensemble de règles transformé en trésor de textes ! Merci à vous, complices des mots :

Jean-Pierre April | Daniel Bélanger | Stéphane Bourguignon
Louis Caron | Richard Desjardins | Jean-Pierre Ferland | Marie Laberge
Linda Lauzon | Roger Mariage | Mes Aïeux | Louis-Gilles Molyneux
Fred Pellerin | Francis Pelletier | Bryan Perro | Gilles Tibo

O Elle _lève_ son verbe...

Pourquoi une *grammaire* au titre évocateur des *cuisines* ?

Parce que le mot langue est, lui-même, très évocateur : d'abord organe physique par lequel nous découvrons les saveurs et pouvons goûter, la langue constitue également l'ensemble des signes vocaux et graphiques d'une communauté. La langue nous porte, nous transporte et nous nourrit. Par elle, nous survivons comme peuple, comme société et comme individu. Connaître la langue et la respecter, c'est gagner du pouvoir sur nous-mêmes et sur notre entourage : le pouvoir de se dire, de se nommer, d'exister et de participer à cette société dont nous sommes membres à part entière.

Cette grammaire, présentée comme un livre de recettes et de trucs du chef, vous permettra, nous l'espérons, de vous mettre à table, de mettre la main à la pâte, de posséder votre français du bout des doigts au bout de la langue.

Cependant, pas plus que vous ne possédez qu'un seul livre de recettes, vous ne pouvez posséder qu'une seule grammaire. D'autres outils de référence vous seront donc utiles. La grammaire que vous avez entre les mains vise la simplicité dans l'acte d'écrire, premier pas vers la gastronomie intellectuelle et langagière qui vous préoccupe.

Merci à mes élèves qui, par leurs questions et leur spontanéité dans le fait de s'instruire, m'apprennent chaque jour une nouvelle façon d'enseigner. Merci à Lyne Bouchard et René Marcil (direction du Centre d'éducation des adultes de Trois-Rivières) pour leur confiance.

Merci à l'éditeur, *Les Pelleteurs de nuages,* son équipe et ses partenaires. Merci sincère à Sonia Blain pour sa persistance et sa généreuse passion à contacter les auteurs dont vous avez les textes sous les yeux. Merci à François Raymond des *Éditions RDL* pour l'implication et la diffusion.

Enfin, un merci très spécial à Francis Pelletier, mon ami et mon complice, pour sa foi inébranlable, son engagement absolu et le fin assaisonnement ludique et poétique qu'il a ajouté à ce produit... culinairement grammatical. Sans lui, cette grammaire ne serait qu'une grammaire de plus. Grâce à son travail de tous les instants et à son indéniable génie, elle est devenue un véritable bijou !

Christiane Asselin

*I*l faut savoir...

Il faut savoir que le ciel n'est pas le ciel, mais une grande bibliothèque tapissée d'étoiles.
Il faut savoir, aussi, que les étoiles ne sont pas des étoiles. Ce sont des livres qui brillent
pour éclairer les voyageurs, ceux qui cherchent leur chemin, ceux qui bercent leurs enfants,
ceux qui s'aiment dans le secret de leur amour. C'est la raison pour laquelle il faut parler,
dialoguer avec les mots les plus près de la vérité. Il faut écrire avec la pointe du cœur,
dessiner avec l'encre de la vie. Il faut éditer chaque page de chaque livre avec tout l'amour
possible : déposer son cœur, son âme et son humilité dans chaque nouveau titre.

Car, telles les étoiles, ces feuilles imprimées, reliées, distribuées serviront bientôt de balise,
de point de repère aux voyageurs, petits et grands, qui naviguent
sur les flots bleutés de la vie.

Gilles Tibo

Texte inédit de Gilles Tibo

Les ingrédients

Lorsqu'on parle de nature et de fonction, que veut-on dire précisément ?

La **nature** est ce qui **ne change pas**, ce qui, toujours, demeure. Par exemple : un être humain le restera toute sa vie. Il ne changera pas de **nature**.

Quant à la **fonction**, il s'agit de ce que **fait** cet humain, par exemple. Sa **fonction** peut **varier** selon le moment de sa journée, de sa vie, de sa carrière.

Un humain (**nature**) peut un jour travailler, se reposer, courir, cuisiner. **Ses fonctions** (ce qu'il fait) **varient** selon la situation dans laquelle il se trouve.

Dans une phrase, il en est de même pour les mots. Partons du principe qu'une phrase est une petite société où l'on rencontre des mots : ils ont une **nature** (elle **ne changera pas** et restera la même dans n'importe quelle phrase) et une **fonction** (elle **changera**, selon la phrase).

Dans cette phrase-société, comme dans la vie, il y a des règles : des mots (**nature**) sont sous l'ordre d'autres mots et doivent s'accorder entre eux. Ils ont une **fonction** dans ladite phrase.

Au *menu* :

Le **verbe**, l'**adverbe**, le **pronom**, le **déterminant**, le **nom**, l'**adjectif**.

Il existe, bien sûr, d'autres natures : les **prépositions** (exemple : à, de, pour, sans, par) ; **les conjonctions de coordination** (exemple : mais, ou, et, donc, car, ni, or - cette petite phrase ludique vous dit sûrement quelque chose -) ; **les conjonctions de subordination** (exemple : avant que, ainsi que, dès que) et les **interjections** (exemple : ah! euh! bang!). Cependant, **nous ne verrons ici que celles qui risquent d'influencer les accords dans la phrase.**

1. Les natures

Le verbe : c'est le **moteur** de la phrase, son **action** et aussi son **mouvement**.

⤵ **Être, pousser, grandir, pleurer, rire, marcher, courir** sont tous des **verbes**.

Ils permettent de savoir ce qui se passe, ce qui a lieu et ce qui est.

Truc du chef

Pour trouver le **verbe**, accompagnez-le d'un *pronom*.
Elle **court**, *il* **travaille**, *nous* **guérirons**, *on* **devient**.

Les **verbes** ont des **modes** de conjugaison et des **temps** de conjugaison. **Ils s'accordent avec le sujet.**

L'adverbe : toujours **invariable**, il se joint au mot pour en **préciser** ou en **modifier** le sens.

⤵ La soupe est **bien** *chaude*
(à l'*adjectif*) ;

⤵ Un loup **vraiment** *loup*
(au *nom*) ;

⤵ *Pousser* **rapidement**
(au *verbe*).

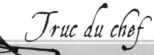

Truc du chef

Pour trouver l'**adverbe** et le verbe qu'il modifie, essayez de dire « *je marche* » et ajoutez l'adverbe : *je marche* **ici**, *je marche* **beaucoup**, *je marche* **mal**, *je marche* **peu**... Vous voyez comment l'adverbe change le sens du verbe. Grandir **peu**, pleurer **fortement**, parler **vite**, cuisiner **divinement**, arriver **demain**...

La **fonction** des adverbes est toujours de **modifier** ou de **préciser** le verbe (ou le nom et l'adjectif).

On trouve **plusieurs sortes d'adverbes** :

L'adverbe de **lieu** : ailleurs, derrière, ici, là…

L'adverbe de **temps** : alors, aujourd'hui, hier, jamais…

L'adverbe de **manière** : mal, bien, sagement…

L'adverbe de **quantité** ou d'**intensité** : assez, très…

L'adverbe de **négation**, de **doute** : ne, pas, non, peut-être…

L'adverbe d'**interrogation** : où, quand, comment, pourquoi…

On appelle **groupe verbal** (**GV**) le verbe et le ou les adverbes qui peuvent l'accompagner : Évelyne et ses frères **ont joué tard hier** (**GV**).

Les pronoms : ils **remplacent** le nom de l'être, de l'objet ou celui de la chose. Ils **accompagnent** le **verbe**.

↞ **Je, tu, il, elle, on, nous, vous, ils, elles** sont des **pronoms**. De même : **me, te, se, eux, le, la, l', les**, placés devant le verbe, sont des **pronoms**.

Truc du chef

Pour trouver le **pronom**, placez-le devant un *verbe*. **Elle** *pousse* (la fleur), **il** *grandit* (l'arbre), **ils** *pleurent* (les bébés), Michèle **l'**aime et **le** *regarde* (le vase).

Il existe plusieurs autres pronoms, dont les **pronoms relatifs** (ils établissent une **relation** entre une portion de phrase et une autre) : **qui**, **que**, **dont** sont des **pronoms**. Le livre **que** tu lis est intéressant (**que** remplace le nom **livre**).

Le déterminant : il détermine le **genre** et le **nombre** du *nom* qu'il **accompagne**.

Truc du chef

Pour trouver le **déterminant**, utilisez-le devant un *nom* : **la** *fleur*, **les** *enfants*, **un** *garçon*, **une** *route*, **des** *souliers*, **ce** *jardin*, **ces** *poules*, **ses** *jouets*, **sa** *taille*, **son** *habit*...

Le, **la**, **les**, **l'** sont **déterminants** s'ils **précèdent** le *nom* : **le** *paradis*, **la** *table*, **les** *chaises*, **l'** *enfant*, **le** *jour*.

Cependant, ils sont **pronoms** s'ils **précèdent** le *verbe*. Ils **remplacent** alors un **nom** : je **l'** *admire* (la fleur); tu **le** *vois* (ce garçon); nous **la** *suivons* (cette route); vous **les** *prenez* (ces pauses).

Le nom : sans le nom, on **ne sait** qui fait ou subit l'action exprimée par le *verbe*.

↞ La **fleur** *pousse*, l'**arbre** *grandit*, le **garçon** *pleure*, la **santé** *s'améliore*, l'**amitié** *fleurit*.

Truc du chef

Pour trouver le **nom**, essayez de l'accompagner d'un *déterminant* : *des* **fleurs**, *l'***arbre**, *ce* **garçon**, *la* **santé**, *une* **amitié**.

Le **nom** sert à désigner les êtres, les choses, les actions, les idées, les villes, les pays, les édifices, les monuments. Le nom peut être **concret** : il désigne quelque chose **qui se voit** (la ville, la table) ou **abstrait** : il désigne quelque chose **qui ne se voit pas** (l'amitié, la sincérité).

On trouve **trois espèces de noms** :

    Le nom **commun** : enfant, prince, énergie, ténacité...

    Le nom **propre** : Dieu, Montréal, Canada, Concorde...

    Le nom **collectif** : groupe, foule, classe...

On appelle **groupe nominal** (**GN**) le déterminant + le nom : **sa passion** était palpable ; ainsi que le déterminant + le nom + l'adjectif : **la ruelle sombre** n'inspirait rien de bon.

L'adjectif : il **accompagne** le **nom** ou le **pronom** et donne une qualité, un défaut, une marque qui distinguent ce *nom* ou ce *pronom*.

    La **belle** *fleur*, l'*arbre* **gigantesque**, le **grand** *garçon*. Je *la* trouve **patiente**.

Truc du chef

Pour trouver l'**adjectif**, mettez-le au **féminin** et au **masculin** (beau, belle). Certains adjectifs s'écrivent de la même manière au féminin et au masculin, essayez alors de dire : *il est, elle est*. *Il est* **magnifique**, *elle est* **extraordinaire**. Magnifique et extraordinaire sont des **adjectifs**.

Remarquez que **l'adjectif s'accorde** en **genre** et en **nombre** avec le *nom* qu'il accompagne : les joli**s** *jardins*, les *forêts* géant**es**.

On trouve **quatre sortes d'adjectifs** :

    1. L'adjectif **qualificatif** : beau, grand, fort...

    2. L'adjectif **numéral** : mille, deuxième, centième...

    3. L'adjectif de **couleur** : rouge, bleu, orange... (p. 132)

    4. L'adjectif **participe** (qui vient du verbe) : violent fatigant, épuisant, excellent, intrigant... (p. 107)

Les principaux **constituants** de la phrase et leur **nature** :
1) **déterminant** + **nom** + **adjectif** = GN ; 2) **pronom** ;
3) **verbe** + **adverbe** = GV.

La main à la pâte

Dans les phrases suivantes, **isolez les mots** selon leur **nature**, en inscrivant en dessous de chacun : D pour *déterminant*. N : pour *nom*. **Adj.** : pour *adjectif*. V : pour *verbe*. **A** : pour *adverbe*. P : pour *pronom*.

1. Les minuscules fleurs des champs poussent encore, elles sont rouges.

2. Les montagnes vertes de ces villages anciens me rendent toujours paisible.

3. La faune et la flore réagissent mal aux assauts continus des hommes.

4. Nous les aimons follement, les chaudes nuits d'été.

5. Nous les lisons facilement ces phrases simples, courtes, précises.

6. Tu rentres le soir, souvent colérique, après ta dure journée.

7. Vous le voyez cet enfant ? Il manipule ses jouets précautionneusement.

8. La mort nous surprend un beau matin, elle ne nous avertit pas ; on ne la voit pas venir.

9. Ce petit travail, tu le feras : il favorise l'apprentissage.

10. Les efforts soutenus donnent toujours de bons résultats.

11. Les lampadaires jaunes éclairent peu les ruelles sombres.

12. Les pommes rougissent rapidement, vous les mangerez bientôt.

13. Les immenses tours sont belles et invitantes.

14. Raffoles-tu des saucissons ? Tes enfants, eux, les détestent.

15. Tu aimes la poésie ? Moi, je l'adore, elle me console souvent.

(corrigé, *Les mordus...* , page 4)

2. Les fonctions

La **fonction**, quant à elle, **changera** selon le rôle que joue le mot dans la phrase. Un mot ou un groupe de mots peuvent « occuper » plus d'une fonction dans une même phrase. Les **principales fonctions** sont les suivantes :

1. Sujet **du verbe** ;

2. Complément **du verbe** ;

3. Attribut ;

4. Complément **du nom** ;

5. Complément de l'adjectif.

Le sujet fait l'action exprimée par le **verbe**. On **trouve** le **sujet** du verbe en posant la question : **qui est-ce qui** (pour les personnes) ou **qu'est-ce qui** (pour les choses) + **verbe**.

Évitez de dire : « C'est qui qui ? » Kiki, c'est un nom de chien, ce n'est pas une question grammaticale !

Le **sujet du verbe** est le **groupe du nom** (GN) ou le **pronom** qui répond à la question **qui est-ce qui** ou **qu'est-ce qui** + verbe.

⤺ **La fleur rouge** *pousse*.
   Qu'est-ce qui pousse ? La fleur rouge.

⤺ **L'arbre gigantesque** *perd* ses feuilles.
   Qu'est-ce qui perd ses feuilles ? L'arbre gigantesque.

⤺ **Le petit garçon** *pleure*.
   Qui est-ce qui pleure ? Le petit garçon.

⤺ **Nous** *réfléchissons*.
   Qui est-ce qui réfléchit ? Nous.

Chacune de ses réponses (la fleur rouge, l'arbre gigantesque, le petit garçon et nous) forme le **groupe nominal sujet** (**GNS**).

Fleur, **arbre** et **garçon** sont donc des **noms** (nature) et ont pour **fonction** d'être le **sujet** du *verbe*. **Nous** est **pronom** (nature) et a pour fonction d'être le **sujet** du *verbe*.

- -

Le **sujet** du *verbe* étant trouvé, nous avons en main les ingrédients nécessaires pour découvrir ce qui, dans la phrase, **complète** ce *verbe*. Il s'agit donc des **compléments du verbe**.

Les compléments du verbe

On trouve le **complément direct du verbe** ou **CDV** en prenant : le **sujet** + le **verbe** et en posant la question **qui** (pour les personnes) ou **quoi** (pour les choses).

↞ Elle *a cueilli* **la fleur rouge**.
Elle (sujet) a cueilli (verbe) **quoi** ? La fleur rouge.

Ce **groupe nominal** (GN), la fleur rouge, a pour fonction : **CDV**.

On trouve le **complément indirect du verbe** ou **CIV** en prenant : le **sujet** + le **verbe** et en posant la question **à qui** (pour les personnes), **à quoi** (pour les choses) ou **de qui, de quoi, pour qui, pour quoi**.

↞ Il *parle* **du ciel bleu**.
Il (sujet) parle (verbe) **de quoi** ? Du ciel bleu.

Ce **groupe nominal** (GN), du ciel bleu, a pour fonction : **CIV**.

Complément circonstanciel (de lieu, de temps, de manière, de cause, de but) ou **CC**. La nouvelle grammaire parle de **complément de phrase** ou **CP**.

On le trouve en prenant le **sujet** + le **verbe** et en posant la question **où** (pour le lieu), **quand** (pour le temps), **comment** (pour la manière) et **pourquoi** (pour la cause ou le but).

↞ Ils *marchent* **dans la ville**, **le matin**, **lentement**.
Ils (sujet) marchent (verbe) **où** ? Quand ? Comment ?

Ils marchent **où** ? dans la ville ; ils marchent **quand** ? le matin ; ils marchent **comment** ? lentement. Il y a donc **trois compléments circonstanciels** (**CC** ou **CP**) dans cette phrase.

Truc du chef

On doit **toujours** se servir <u>**du sujet et du verbe**</u> pour **poser la question** qui nous sert à trouver **toutes** les **formes** de **compléments du verbe**.

L'attribut : tout mot qui accompagne un **verbe d'état** devient **attribut**. Ces verbes expriment un état et **non** une **action**. Ils disent **comment** est la chose, la personne ou l'animal...

↞ Les plantes **sont belles**.
Comment **sont** (verbe être) les plantes ? Belles.

Sont est un **verbe d'état** et **belles** est un **attribut**. En effet, on attribue aux plantes le fait d'être belles, on dit **comment** elles sont.

Les principaux **verbes d'état** sont : être, **paraître, sembler, devenir, demeurer, rester** et parfois d'autres verbes, comme le verbe **trouver**. Ce verbe peut jouer le rôle d'un **verbe d'état**

↞ Je « le » **trouve** gentil, Jimmy.
Comment **est** Jimmy ? Gentil.

Le verbe **trouver** est un **verbe d'état** (il peut être remplacé par le verbe **être**). Il dit **comment est** Jimmy : il **est** gentil. **Gentil** est alors **attribut** du **CDV**, soit le pronom « **le** », qui remplace Jimmy.

↞ Je « te » **trouve** tes habits.
Je te trouve **quoi** ? Tes habits.

Le verbe **trouver** est un **verbe d'action** (il peut être remplacé par le verbe d'action **chercher** : je te **cherche** tes habits). Je te trouve **quoi** ? Tes habits : **CDV** du verbe **trouver**. Je trouve les habits **à qui** ? À « **te** » : **CI** du verbe **trouver**. Il n'y a pas d'attribut dans cette phrase dont le verbe en est un **d'action**.

L'attribut du sujet : devient attribut du *sujet* l'**adjectif** ou le **nom** qui qualifient le sujet. *Elle est belle, ta fleur.* **Belle** est attribut du **sujet** *Elle.*

L'attribut du complément : devient attribut du *complément* l'**adjectif** ou le **nom** qui qualifient l'objet : « Je te trouve *triste* ». *Triste* est attribut du **CDV** : te.

Les compléments du nom complètent le nom en y ajoutant des précisions. Pour les trouver, il suffit de prendre le **nom** et de poser les questions : **de qui**, **de quoi**, et ce, <u>après le nom</u>.

C'est parce que l'on ne prend pas le verbe, mais bien le **nom** pour **poser cette question** que l'on parle du **complément du nom**. « Elle a mis sa robe de laine. » Sa **robe de quoi** ? **De laine** : complément du nom **robe**.

Isolez et identifiez les mots de ces phrases selon leur fonction, en inscrivant en dessous de chacun, s'il y a lieu : **S** pour *sujet* (question : **qui est-ce qui** ? ou **qu'est-ce qui** ? + verbe). **CDV** pour *complément direct* (**sujet + verbe + qui** ? ou **quoi** ?). **CIV** pour *complément indirect* (**sujet + verbe + à qui, à quoi, de qui, de quoi, pour qui, pour quoi**). **CC** pour *complément circonstanciel* (**sujet + verbe + où** ? **quand** ? **comment** ? **pourquoi** ?). **Att.** pour *attribut* (chercher **verbe d'état**). **CDN** pour *complément du nom* (**nom + de qui, de quoi**).

1. Les minuscules fleurs des champs poussent encore, elles sont rouges.

2. Les montagnes vertes de ces villages anciens me rendent toujours paisible.

3. La faune et la flore réagissent mal aux assauts continus des hommes.

4. Nous les aimons follement, les chaudes nuits d'été.

5. Nous les lisons facilement ces phrases simples, courtes, précises.

6. Tu rentres le soir, souvent colérique, après ta dure journée.

7. Vous le voyez cet enfant ? Il manipule ses jouets précautionneusement.

8. La mort nous surprend un beau matin, elle ne nous avertit pas ; on ne la voit pas venir.

9. Ce petit travail, tu le feras : il favorise l'apprentissage.

10. Les efforts soutenus donnent toujours de bons résultats.

11. Les lampadaires jaunes éclairent peu les ruelles sombres.

12. Les pommes rougissent rapidement, vous les mangerez bientôt.

13. Les immenses tours sont belles et invitantes.

14. Raffoles-tu des saucissons ? Tes enfants, eux, les détestent.

15. Tu aimes la poésie ? Moi, je l'adore, elle me console souvent.

16. Tu comprends mieux la nature des mots, maintenant.

17. Demain, mes amis iront voir ce spectacle enivrant.

(corrigé, *Les mordus...*, pages 4 et 5)

Nouveauté

Voici quelques nouveaux termes qui ne changent rien aux accords et aux règles de cette grammaire.

Vous connaissez déjà le sujet du verbe. Le **prédicat**, c'est ce que l'on dit de ce sujet. Il comprend donc nécessairement le verbe.

La jolie fleur de ce parterre **pousse lentement**.

La jolie fleur est sujet et **pousse lentement** est prédicat.

Le **noyau**, quant à lui, désigne le terme important du groupe nominal et du groupe verbal, entre autres.

Fleur est noyau du groupe nominal sujet (GNS) et **pousse** est noyau du groupe verbal (GV).

Les **expansions du noyau** complètent le noyau.

Jolie et **de ce parterre** sont deux expansions du noyau fleur.

02

Qui nous mène

C'est clair, le navire a perdu le cap
La marchandise humaine est entraînée
dans la dérape
Les médias manipulent la masse
Pour maintenir le mur en place

Dans une soirée mondaine mondiale
Capitaines carnassiers qui jouent aux cartes
notre capital
À tribord, un sommet de glace
A déchiré la carapace... rapaces !

Embarque dans mon canot d'écorce
Amis, remontons le courant
Il faut ramer de toutes nos forces
On arrêtera quand on aura 100 ans

C'est l'abandon qui nous mène
Mène en bas
C'est le courage qui nous mène
Mène en haut

Dans la cale on veut nous reléguer
On a lancé des S.O.S.
Ô... solidarité
Il y a un trou béant dedans la coque
De ce gros bateau monté en toc

Des larmes synthétiques dans le brouillard
chimique
Pour qu'on reste apathiques à bord du Titanic
Si la loi du plus fort sévit
Suivez-moi, je pense donc je nuis... je nuis !

Embarque...

Mes Aïeux

Texte d'une chanson de Mes Aïeux / Auteurs : Stéphane Archambault, Éric Desraneau

Le genre

En français, il y a **deux genres** : le **masculin** et le **féminin**, et ce, pour les êtres, les animaux, les choses. Le **genre** est établi par la langue française. **Chaque nom a son genre** qui ne peut changer au gré de notre fantaisie.

⟜ **un** homme = masculin, **la** femme = féminin,
un musée = masculin, **une** armée = féminin,
la santé = féminin, **le** passé = masculin,
la destinée = féminin...

Hélas ! pour nous, les femmes, lorsqu'il y a, **dans la même phrase, deux genres différents** (féminin et masculin), c'est le **masculin** qui **l'emporte** ! Chanceux, les gars ? Mais qui a le dernier mot ?

⟜ *La* fille et *le* garçon sont **beaux**.

Du **nouveau**, **pour les femmes** : depuis quelques années, on assiste à la **féminisation des titres**. C'est ainsi que les noms qui désignent les **fonctions**, **métiers** et **professions** et qui n'avaient qu'un genre autrefois (le masculin, vous l'aurez deviné) s'utilisent maintenant au **féminin**.

Ces noms communs ont donc **deux genres**, à présent :

⟜ Le plombier et la plombi**ère**, l'infirmier et l'infirmi**ère**, le professeur et la professeure, l'écrivain et l'écrivaine, le soudeur et la soudeu**se**, ainsi de suite. Consultez le dictionnaire.

Le nombre

En français, on trouve **deux nombres** : le **singulier** et le **pluriel**. C'est, la plupart du temps, l'auteur (celui qui écrit, vous, par exemple) qui choisira s'il veut mettre son mot au singulier ou au pluriel. Cependant, lorsqu'il l'a mis au pluriel, il doit faire les accords nécessaires.

Le chef

Dans la phrase, qui donne des ordres à qui ?

À la lumière de ce que vous avez vu, vous aurez compris que chaque mot se trouve, pourrait-on dire, **sous l'ordre d'un autre** pour lui ajouter du sens ou des précisions. Voyez donc **qui donne l'ordre à qui**, pour faire les accords nécessaires, et ce, afin que la minisociété qu'est la phrase fonctionne bien.

Les verbes, qui sont-ils ? Poursuivons avec cette image de la minisociété. On peut dire que les **verbes répondent aux ordres** des *sujets*. Ici, les sujets sont rois.

- *Elle* **marche** : vous devez accorder le verbe **marcher** au **singulier** (marche), car le *sujet*, **singulier** (elle), en donne l'ordre.

- *Elles* **marchent** : vous devez accorder le verbe **marcher** au **pluriel** (marchent), car le *sujet*, **pluriel** (elles), en donne l'ordre.

Les noms ont leur propre **genre** qui ne change jamais (**sauf** pour la **féminisation des titres**, souvenez-vous de la bonne nouvelle et répandez-la !). Ils sont soit **féminins** (la santé, une amitié, une clé), soit **masculins** (le tonnerre, un orage, un abri).

Les déterminants donnent les ordres aux **noms** qu'ils accompagnent. Aussi, faudra-t-il **accorder** ces **noms** au **singulier** ou au **pluriel**, selon le **déterminant** qui l'accompagne (le mot l'indique : il **détermine** genre et nombre, et le nom n'a qu'à bien se tenir !).

Si le **déterminant** est **masculin singulier**, le *nom* est masculin singulier : **le** *garçon*. Si le déterminant est **masculin pluriel**, le *nom* est masculin pluriel : **les** *garçons*. Évidemment, il en va de même au féminin. Tous les déterminants annoncent le **genre** (**masculin**, **féminin**) et **donnent l'ordre** de mettre le *nom* au **singulier** ou au **pluriel** (**nombre**) : **ces** *enfants*.

Les adjectifs, eux, où qu'ils soient dans la phrase, reçoivent leur ordre du *nom*. C'est lui qui fait en sorte que vous accorderez l'adjectif au masculin ou au féminin, au singulier ou au pluriel.

↞ Le **beau** *champ*, les **beaux** *champs*.
La **belle** *soirée*, les **belles** *soirées*.

Vous ne savez plus très bien si un mot est un **nom** ou un **adjectif** ? Essayez de le mettre au **féminin**. Comme **le nom n'a qu'un genre** et que **l'adjectif**, lui, **peut prendre les deux genres**, puisqu'il est **variable** (masculin ou féminin), il vous sera plus facile de faire la distinction entre ces deux constituants de la phrase.

↞ Le **beau** *chandail*, les **belles** *vestes*.

On voit bien, ici, que **beau** et **belles** sont **adjectifs**, car ils prennent la marque du **masculin** et du **féminin** (ils peuvent aussi prendre la marque du **singulier et du pluriel**, comme le nom qu'ils accompagnent, ne l'oubliez pas).

Notez que plusieurs adjectifs **s'écrivent de la même manière** au **féminin** et au **masculin** (humble, magnifique, bizarre, drôle, vaste...). Dans ce cas, essayez de dire : **il** ou **elle** est humble, **il** ou **elle** est magnifique, **il** ou **elle** est bizarre, **il** ou **elle** est drôle, **il** ou **elle** est vaste. Vous saurez alors qu'il s'agit vraiment d'un adjectif.

Rappel

↞ **Le verbe** : si vous faites correctement vos **flèches**, liant le **verbe** à son **sujet** (en posant la question **qui est-ce qui** ou **qu'est-ce qui**), vous saurez accorder ces deux premiers moteurs de la phrase.

↞ **Le déterminant** et **son nom** : il en va de même du **déterminant** (le, la, les, ce, cette, ces, son, ses...) que vous **liez** au **nom** afin de les **accorder**.

↞ **Le nom** et **son adjectif** : enfin, vous **liez** le nom à l'adjectif et, là aussi, vous **faites l'accord** nécessaire.

La main à la pâte

Dans les phrases suivantes, corrigez et faites accorder les mots selon leur fonction, en faisant les **accords nécessaires** entre le **verbe** et son **sujet**, le **nom** et son **déterminant**, le **nom** et son **adjectif**. Faites des flèches reliant chacun des termes à celui qui le «commande» (avec lequel il s'accorde), cela vous aidera beaucoup. Méfiez-vous, j'ai volontairement laissé des espaces là où, parfois, vous n'aviez pas à apporter de correction. Demandez-vous : «Qui commande qui ?»

1. Les court_____ phrase_____ que tu a_____ sous les yeux t'aideron_____ à mieux comprendre.

2. La petit_____ boîte rond_____ de ma genti_____ grand-mère servai_____ à mettre ses chapeau_____ .

3. Les fille_____ de cette classe étai_____ forte_____ et fière_____ , et elle_____ adorai_____ les cours qu'elle_____ trouvai_____ intéressant_____ .

4. Les jour_____ son_____ plus long_____ en automne et nous devon_____ nous armer de courage en attendant l'arrivée si dou_____ du printemps.

5. Ces enfant_____ , elles les aime_____ de tout leur cœur, car ils se montre_____ toujours poli_____ et tendre_____ avec les voisin_____ , les parent_____ et les ami _____ .

6. Ces joli_____ chanson_____ que tu fredonne_____ me rappelle_____ les belle_____ journée_____ passé_____ à la campagne.

7. Des famille_____ entière_____ doiv_____ souvent quitter leur pays, en temps de guerre.

8. Ces pauvre_____ villageois attendai_____ l'arrivée des soldat_____ pour sortir de ces lieux sombre_____ et froid_____ où la guerre les avai_____ amenés.

9. Ils dise_____ que tu a_____ des problème_____ , mais moi je vois que tu a_____ de bel_____ solution_____ .

10. Les homme_____ et les femme_____ veul_____ les même_____ chose_____ , mais ils ne le demande_____ pas de la même façon_____ .

11. Ses parole_____ douce_____ et réconfortante_____ me

trotte_____ souvent dans la tête quand j'ai des ennui___.

12. Nicole avai_____ des robe_____ bleu_____, des tailleur_____

brun_____ et des soulier_____ de toute_____ les couleur_____.

13. Ils cultivai_____ des marguerite_____ géante_____.

14. Pendant les rare_____ moment_____ de pause, ils bricole_____.

15. Où iron_____ toute_____ ces splendide_____

lettre_____ d'amour?

16. Lyne et Marie n'aime_____ pas les voisin_____ tapageur_____.

17. Ils nous parleron___ de toute___ les joie___ profonde___.

18. Ton accueil et ta sympathie naturel_____ démontr_____

ton savoir-vivre.

19. Tous leur_____ exploit_____, ils nous les auron_____

racontés bien avant la fin de la soirée.

20. Ce sont vos chose_____ que vous nous donne_____.

21. Vous arrive_____ à l'heure que nous vous préciseron_____.

22. Ils nous rendron_____ ces pierres ronde_____.

23. Les rhume_____ et les grippe_____ survienne_____ l'hiver.

24. Les personnes allergique_____ présente_____ souvent

les même_____ symptôme_____.

25. Elles arrivai_____ avec des joli_____ surprise_____.

(corrigé, *Les mordus…*, pages 5 et 6)

« *Il y a ceux qui osent
et ceux qui causent.* »

- Francis Pelletier -
Extrait de l'affichette *La différence* (Les Pelleteurs de nuages)

Sirène de terre pour marin échoué

La triste histoire d'un marin abandonné par sa mer.

Je suis capitaine d'une épave perdue sur la rive. Mon bateau est une ruine que la marée a trompée.
Je longeais la berge, lorsque l'eau s'en est allée. Le sable autour de moi a émergé. Depuis longtemps
mon étrave a versé ses dernières larmes salées. Ma carène et mon cœur sèchent et fissurent.
Suis-je donc condamné à devenir le spectre du navire échoué ?

J'entends le vent hurler en sillonnant les mers. Il me cherche, je sais. Je n'ai plus la force de crier.
Elles se souviennent des inlassables caresses de ma coque sur leurs flancs. En silence, je pleure
avec elles. Cruellement la brise du large me porte ton appel. Oh ! belle sirène ! toi que j'ai
vainement pourchassée de par toutes les mers, viens à mon secours. Supplie la marée montante
de me rescaper. Je sens comme un étrange mal de terre m'envahir. Je chavire.

Je suis capitaine d'une épave perdue sur une rive, sans même la plus petite chance de me noyer.

Francis Pelletier

Extrait du livre de Francis Pelletier : *Rien*
Pose & Prose aussi disponible en affiche littéraire (Les Pelleteurs de nuages)

Les pièges à éviter

Accord : **marier** *les ingrédients*

Les phrases simples, le mot le dit, sont **simples à accorder**, car elles n'ont qu'**un verbe conjugué** et, par conséquent, elles n'ont qu'**un sujet**, même si ce dernier est pluriel. Pour les déterminants, les noms et les adjectifs, soyez aux aguets : **qui donne l'ordre à qui ?**

Le **sujet (S)** dirige le **verbe (V)** ;

Le **déterminant (D)** gère le **nom (N)** ;

Le **nom (N)** gouverne l'**adjectif (Adj.)**.

← Tu regardes ces jolies demeures, sur la côte, près de l'église brune.

Un seul **verbe** : regarder (**regardes**) ; un seul **sujet** : **tu** (qui est-ce qui regarde la jolie demeure ? **Tu**).

Trois **déterminants** : **ces** (accompagne le nom *demeures* donc ce nom est **pluriel**), **la** (accompagne le nom *côte*, donc ce nom est **singulier**), **l'** (accompagne le nom *église*, donc ce nom est **singulier**).

Trois **noms** : demeures, côte, église.

Deux **adjectifs** : **jolies** (accompagne le nom *demeures*, donc cet adjectif est **féminin pluriel**), **brune** (accompagne le nom *église*, donc cet adjectif est **féminin singulier**).

Par ailleurs, si la plupart des phrases simples sont faciles à accorder, certaines peuvent vous jouer des tours. Voici l'un des pièges rencontrés dans des phrases simples (ou parfois complexes, c'est-à-dire qui ont plus d'un verbe conjugué).

Les pronoms-écrans

Qui se cache derrière qui ?

Les pronoms-écrans sont des **pronoms** qui **font écran au véritable sujet du verbe.** Ils le cachent, en quelque sorte, et peuvent ainsi vous induire en erreur. Il s'agit souvent des pronoms **les, la, le, l'**, mais il peut également s'agir des pronoms **vous, nous, lui.**

Les pronoms-écrans ne sont repérables que si vous posez toujours la question **qui est-ce qui** ou **qu'est-ce qui, devant le verbe** conjugué de votre phrase, afin de **trouver le véritable sujet.** Si le sujet est un **GN**, transformez-le en **pronom.**

↰ Ces invités **nous** rassurer**ont.**

> **Qui est-ce qui** nous rassureront ? Ce n'est pas « **nous** », mais bien « **ces invités** » ou, si vous préférez, **ils** (pronom, troisième personne du pluriel). En trouvant le sujet, vous débusquez le pronom-écran (nous) et vous évitez une erreur, soit d'écrire « **ons** » au verbe rassurer.

La main à la pâte

Dans les phrases suivantes, accordez ou corrigez, s'il y a lieu, **le verbe** avec **son véritable sujet.** Découvrez le pronom-écran, soulignez-le et **trouvez sa fonction.** N'oubliez pas de **relier le sujet au verbe par une flèche.**

1. Ils nous reverron_____ dès demain matin.

2. Je vous occuper_____ demain, par des jeux de toutes sortes.

3. Ils nous trouveron_____ gentils et aimables.

4. Je vous avancer_____ cette somme, dès demain.

5. Ses passe-temps, il les apprécie_____ beaucoup.

6. Ces chutes, vous les éviter_____ en étant attentifs.

7. Ils nous parleron_____ demain, disaient Karine et Sonia.

8. Ses patins, il les range_____ si mal !

9. Vous nous écrir_____ cette belle histoire.

10. Ces jardins fleuris, on les arrose_____ tous les jours ;

ainsi, on les trouve_____ plus jolis.

11. Ils nous tiendron_____ au courant de ton état de santé.

12. Ses souvenirs, il les relate_____ avec plaisir.

13. Vous nous parler_____ de vos activités dès votre retour.

14. Dès ce soir, ils nous réconforter_____ .

15. Ces nouvelles, vous nous les raconter_____ demain.

16. Je vous les vendr_____ , mes vieux objets.

17. Ils nous aur_____ tout donné avant la fin de la soirée.

18. Vous nous dir_____ la vérité, sinon nous ne vous

croir_____ plus.

19. Ces heures de loisir, ils les passeron_____ avec nous.

20. Nous vous regardon_____ avec la plus pure des joies.

21. Tes règles, tu les oubli_____ très peu souvent.

22. Vous nous adorer_____ lors de notre prochain spectacle.

23. Ils le mène_____ par le bout du nez.

24. Pascal et Cindy nous la mime_____ , cette histoire drôle.

25. La tarte et le potage nous seron_____ servis à 20 heures.

26. Les éditeurs nous publieron_____ en décembre prochain

et ils nous contacteron_____ chaque semaine, d'ici là.

(corrigé, *Les mordus…*, pages 6 et 7)

Notez bien

Vous trouverez souvent ce genre de pronoms. **Repérez-les** bien, car ils vous seront **utiles** lorsque vous aurez à travailler avec les **participes passés**.

Attention : transformez le groupe nominal sujet (GNS) en **pronom**, vous éviterez ainsi de gâcher la sauce !

← La porte et l'escalier = **ils**. Lynda et Michel = **ils**.
La table et la chaise = **elles**.

Rêver mieux

Tu me demandes qui je suis
Je suis de n'importe où...
Tu me demandes où je vais
Je vais très bien...
À questions idiotes, réponses idiotes
Apprends la leçon...
Tu me demandes combien je fais
Je fais de mon mieux...
Et ce mieux, combien c'est ?
Ce mieux est juste parfait...
Tu veux trop savoir tout sur moi
Si tu veux tout avoir
Ce que je n'ai même pas
Alors va-t-en, va-t-en
Tu ne demandais qu'une épaule
Pour t'appuyer dans mon lit
Dans tes bleus
Moi c'était facile dans ma tête
Je pouvais dormir et peut-être
Rêver mieux

Tu me demandes comment je vais
Je vais dans une vieille auto
Tu me demandes où j'irais
J'irais là où il fait chaud
Plus chaud qu'en hiver, loin du polaire
Avec en mon cœur des êtres chers
Mais tu me fais parler
Arrête, arrête...
Tu ne demandais qu'une épaule
Pour t'appuyer dans mon lit
Dans tes bleus
Moi c'était facile dans ma tête
Je pouvais dormir et peut-être
Rêver mieux

Daniel Bélanger

Texte d'une chanson de Daniel Bélanger

Les verbes homophones : er, ai, ez, é, és, ée, ées...
ou Comment ne pas devenir fous en faisant de la grammaire ?

Les **homophones** sont des mots qui ont le **même son**, mais qui **ne s'écrivent pas de la même manière**.

Ils n'existent pas que pour les **verbes**, mais voyons d'abord ceux qui touchent les verbes du **premier groupe** (ce sont ceux qui se terminent en **er**, comme le verbe **aimer**).

Quand le verbe du **premier groupe**, le verbe **aimer**, par exemple, est à **l'infinitif**, c'est-à-dire à l'état brut, tel que vous le chercheriez dans le dictionnaire, il garde sa finale en **er**. Il n'est **pas conjugué**. Il sera souvent précédé des prépositions : **à**, **de**, **pour**, **sans**, ou d'un autre verbe (sauf **être** et **avoir**, que nous verrons plus tard, et qui servent à construire le **participe passé**).

↜ Je **veux** lui **donner** son jeu ;
   (précédé d'un autre verbe : *veux*) ;

↜ Il me **fait pleurer** ;
   (précédé d'un autre verbe : *fait*) ;

↜ J'ai **à parler** de toi demain ;
   (précédé d'une préposition : *à*) ;

↜ Il vient **pour** te **raconter** son voyage ;
   (précédé d'une préposition : *pour*).

Truc du chef

Si vous éprouvez de la difficulté, essayez le truc **vendre** ou **vendu** en remplacement du verbe qui vous pose problème.
Si **vendre** peut se dire, c'est que le verbe est **réellement** à l'infinitif et qu'il se termine en **er**. Si **vendu** peut se dire, la finale sera (selon le cas) en **é, es, ée, ées** *.

* Accord du participe passé, atelier 6, p. 46.

← Je veux te **rencontrer**.

On pourrait dire : « Je veux te **vendre** », mais on ne pourrait dire : « Je veux te **vendu** ». Le verbe est à **l'infinitif**, c'est-à-dire que sa finale est en **er** : rencontr**er**.

← Je t'ai **parlé** hier, à ta sortie de chez toi.

On pourrait dire : « Je t'ai **vendu** », mais on ne pourrait dire : « Je t'ai **vendre** ». Le verbe est un **participe passé**, c'est-à-dire que la finale est en **é** : parl**é**.

La main à la pâte

Dans ces phrases, corrigez les verbes du premier groupe (ceux dont la finale est en **er**, comme le verbe **aimer**) en essayant le truc : **vendre** ou **vendu**. Observez bien : si le verbe du premier groupe est **précédé d'un autre verbe** (autre que les verbes **avoir** et **être**) ou s'il est **précédé des prépositions** : **à, de, pour, sans**, il est assurément à **l'infinitif**, c'est-à-dire qu'il s'écrit avec une finale en **er**.

1. Il vient de mange_____ et il ne sait plus s'il peut avale_____ .

2. Il a tout confie_____ à sa meilleure amie.

3. Il est arrive_____ avec une heure de retard.

4. Viens-tu me rencontre_____ comme tu l'as propose_____ ?

5. Aimes-tu toujours autant rigole_____ pendant les cours ?

6. As-tu nettoye_____ toute la saleté de ces planchers ?

7. Il veut travaille_____ , mais sans se fatigue_____ .

8. Il doit se décide_____ afin de savoir où il peut alle_____ ,

   ce qu'il veut apporte_____ et ce qu'il désire laisse_____ .

9. Il est arrive_____ sans que j'aie à lui rappele_____ notre

   rendez-vous.

10. Il faut pense_____ avant de s'inquiéte_____ , me disait

    ma grand-mère avant de nous quitte_____ .

(corrigé, Les mordus..., page 7)

Vous venez de terminer les exercices avec le truc **vendre** ou **vendu**. Cependant, vous avez pu observer que les verbes qui finissent en **é** (**remplaçables** par **vendu**) sont toujours **précédés** des auxiliaires **être** ou **avoir**. Il s'agit des **participes passés**. Nous leur accorderons une attention spéciale dans un volet ultérieur (atelier 6, p. 46).

Voyons, pour le moment, les finales en : **ai** et en **ez**. Vous observerez sans difficulté que la finale des verbes en **ez** est tout simplement la conjugaison de la deuxième personne du pluriel : j'aime, tu aimes, il aime, nous aimons, **vous aimez**, ils aiment.

La finale en **ai**, pour sa part, est celle du verbe au **futur**, et ce, à la première personne du singulier : **j'aimerai**, tu aimeras, il aimera, nous aimerons, vous aimerez, ils aimeront.

28

Truc du chef

Vendre (finale en **er**) ;
Vendu (finale en **é, és, ée, ées**) ;
Vendez (finale en **ez**, en général accompagné du pronom sujet **vous**, sauf au mode impératif) ;
Vendrai (finale en **ai**, accompagné du pronom **je**, au **futur**).

La main à la pâte

Dans les prochaines phrases, attention : vous aurez à essayer votre truc **vendre**, **vendu**, **vendez** ou **vendrai**. Les verbes peuvent donc, selon le cas, se terminer en **er** (vendre), en **é, és, ées** (vendu), en **ez** (vendez = pronom sujet *vous*, présent ou impératif) ou en **ai** (vendrai = pronom sujet *je*, futur).

1. Il veut les invite_____ , mais il ne peut y arrive_____ ,

   car il n'a pas termine_____ ses dernières lettres.

2. Il y a toujours lieu d'espére_____ , me disait le professeur

   que j'ai le plus admire_____ .

3. Est-ce que vous viendre_____ à cette rencontre

   organise_____ par le comité ?

4. Je vous aimer_____ et je vous respecter_____ , mais à

   la condition que vous en fassie_____ autant et que

   vous me respectie_____ également.

5. Il ne faut pas que vous gênie_____ les travailleurs.

6. Mon père est arrive_____ avec trois heures de retard, cela

   m'a inquiéte_____ et je n'ai jamais aime_____ m'inquiéte_____ .

7. Je te prêter_____ ce que tu m'as demande_____ , mais

   pour cela, il me faudra beaucoup travaille_____ .

8. Ces tâches, je vous les confier_____ volontiers si vous me

   le demande_____ , mais il faut que vous jugie_____

   bon de le faire.

9. Je l'ai appele_____ dès ce matin, mais il n'est pas

   arrive_____ .

10. Vous pourrie_____ bien me dicte_____ ces quelques

    phrases, ensuite je pourr_____ mieux vous aide_____ .

11. Il va particip_____ à ce grand tournoi que j'ai organise_____ .

12. Veux-tu me parl_____ de ce merveilleux voyage dont tu

    avais tant rêv_____ ?

13. Chers élèves, vous avouer_____ que les homophones en

    É ne sont pas aussi difficiles que vous l'avie_____

    d'abord pense_____ .

(corrigé, *Les mordus...* , page 7 et 8)

D'autres homophones : ce, ces, c'est, se, ses, s'est, à, a, ou, où, sont, on, ont

*ou Comment **ne vraiment pas** devenir **fous** en faisant de la grammaire ?*

Qu'elle soit **simple** (un seul verbe conjugué) ou **complexe** (plusieurs verbes conjugués), la phrase contient des pièges qui vous stimulent à l'observation. Parmi ceux-ci, il y a, sans contredit, toute une autre série d'homophones.

Comment *Démêler* ? les : **ce, ces, c'est**
des : **se, ses, s'est**

Ce, ces : il s'agit d'un **déterminant**. Supposons que votre index est plié et **désigne** quelqu'un, là-bas, ou quelque chose. Il ressemble alors à un **C**. **Ce** garçon, **ces** filles (on peut également dire : **celui-là, celles-là**).

C'est : il s'agit d'un **pronom** (cela) et du verbe **être**. Vous pouvez remplacer **c'est** par **cela est** : **c'est** vrai = **cela est** vrai.

← **Ce** garçon se fait disputer par sa mère et **c'est** injuste.

On montre un garçon du doigt (on le désigne) = **Ce** garçon. **C'est** injuste = **cela** est injuste.

← **Ces** enfants sont arrivés en retard, **c'est** vrai.

On montre les enfants du doigt (on les désigne) = **Ces** enfants. **C'est** vrai = **cela** est vrai.

Se : il s'agit d'un **pronom** (soi-même). Elle **se** regarde dans la glace = elle regarde « soi-même ».

Ses : il s'agit d'un **déterminant**. Il indique que c'est **à elle, à lui**, on peut le remplacer par **mes**. Ce sont **ses** effets.

S'est : il s'agit d'un **pronom** + verbe **être**.

← Les enfants **se** parlent et Martine **se** réjouit, car elle **s'est** donné du mal pour qu'ils deviennent amis.

Les enfants **se** parlent (à eux-mêmes) = **se** parlent ; Martine **se** réjouit (elle-même) = **se** réjouit ; elle **s'est** donné du mal (elle a donné du mal à elle-même (**s'**) + verbe être + participe passé) = **s'est** donné.

Comment *Démêler* ? le : **a** / du : **à**

A : il s'agit du verbe **avoir** à la troisième personne du singulier : j'ai, tu as, **il a**, nous avons, vous avez, ils ont.

S'il vous pose problème, **remplacez-le** par le verbe **avoir** à la troisième personne du singulier, à **l'imparfait** : j'avais, tu avais, **il avait**, nous avions, vous aviez, ils avaient.

À : il s'agit de la **préposition à**, elle indique souvent un lieu (imaginez que l'accent est une flèche qui vous précise ce lieu). Dans ce cas-là, il est **impossible** de **remplacer** ce « à » par « avait », car il ne s'agit pas du verbe **avoir**.

↪ Elle m'**a** dit qu'elle viendrait, mais elle n'**a** pas encore confirmé sa présence.

Elle m'**a** dit = on peut dire : elle m'**avait** dit, donc: **a**; Elle n'**a** pas confirmé = on peut dire : elle n'**avait** pas, donc: **a**.

↪ Je vais **à** Montréal, car j'ai **à** y rencontrer le directeur.

Je vais **à** Montréal = on **ne peut** dire: je vais **avait** Montréal, donc: **à**; j'ai à y rencontrer = on **ne peut** dire: j'ai **avait** y rencontrer le directeur, donc, dans les deux cas, il s'agit de la **préposition** et ce **à** prend l'accent: **à**.

Comment *Démêler* ? le : **ou** / du : **où**

Ou : il s'agit d'une **conjonction de coordination**. En termes plus simples, « ou » semble nous donner le choix. On peut donc le remplacer par « **ou bien** ».

Où : il s'agit d'un **adverbe d'interrogation** ou d'un **pronom**. Imaginez que l'accent désigne l'endroit. Dans ce cas-là, **on ne peut** remplacer le « **où** » par « ou bien ». Il prend donc **l'accent**.

↪ Je vais **où** bon me semble.

Je vais **où** = on ne peut dire : **ou bien bon** me semble, donc : **où**.

↪ Je prends ceux-ci **ou** ceux-là, les deux me plaisent.

Ceux-ci **ou** ceux-là = on peut dire: **ou bien** ceux-là, donc: **ou**.

Il revient de Montréal **ou** de Québec, mais ne sait **où** il ira demain.

Montréal **ou** Québec = on peut dire : **ou bien** Québec, donc : **ou** ; **où** il ira demain = on ne peut dire : **ou bien** il ira, donc : **où**.

Comment *Démêler* ? le **son** du **sont**

Son : il s'agit du **déterminant possessif**, c'est-à-dire qu'il indique **l'appartenance**. **Son** livre (il est à elle, à lui, il lui appartient). On peut le remplacer par **mon**, **ton**, déterminants possessifs.

Sont : il s'agit du **verbe être**, conjugué à la troisième personne du pluriel, au présent : je suis, tu es, il est, nous sommes, vous êtes, **ils sont**.

On peut le remplacer par **étaient**, verbe **être** à la troisième personne du pluriel, à l'imparfait : j'étais, tu étais, il était, nous étions, vous étiez, **ils étaient**.

Je ne sais si c'est **son** ami.

Si c'est **son** ami = on peut dire : **mon** ami, donc : **son**.

Il a mis **son** chandail et **son** foulard, car l'automne est arrivé.

Son chandail = on peut dire : **mon** chandail, donc : **son** ; **son** foulard = on peut dire : **mon** foulard, donc : **son**.

Ils **sont** ici avec leur soeur et malgré **son** retard, ils **sont** tous heureux.

Ils **sont** ici = on peut dire : ils **étaient**, donc : **sont** ; **son** retard = on peut dire : **mon** retard, donc : **son** ; ils **sont** tous heureux = on peut dire : ils **étaient** tous heureux, donc : **sont**.

On : il s'agit d'un **pronom** qui remplace **il**, au **singulier**, bien qu'il représente un ensemble.

Vous pouvez, pour vous aider, le **remplacer** par **Yvon** = on = il.

Ont : il s'agit du **verbe avoir** au présent et à la troisième personne du pluriel : j'ai, tu as, il a, nous avons, vous avez, **ils ont**.

Vous pouvez, pour vous aider, le **remplacer** par le verbe **avoir** à l'imparfait, à la troisième personne du pluriel : j'avais, tu avais, il avait, nous avions, vous aviez, **ils avaient**.

↞ Ils **ont** dû se lever tôt pour finir tout ce qu'**on** leur a donné à faire.

Ils **ont** dû = on peut dire: ils **avaient** dû, donc: **ont**; ce qu'**on** leur a donné = on peut dire: ce qu'**Yvon** leur a donné, donc: **on**.

↞ Paul et Pierre, **on** les a vus ce matin, d'après ce que l'**on** dit, ils **ont** de bonnes nouvelles.

On les a vus = on peut dire: **Yvon** les a vus, donc: **on**; d'après ce que l'**on** dit = on peut dire: d'après ce qu'**Yvon** dit, donc: **on**; ils **ont** de bonnes nouvelles = on peut dire: ils **avaient** de bonnes nouvelles, donc: **ont**.

↞ On les sait, à présent, les règles qu'ils nous **ont** montrées.

On les sait = on peut dire: **Yvon** les sait, donc: **on**; qu'ils nous **ont** montrées = on peut dire: ils nous **avaient** montrées, donc: **ont**.

« *Il y a ceux qui sont ce qu'ils ont*
et ceux qui ont ce qu'ils sont. »

- *Francis Pelletier* -
Extrait de l'affichette *La différence* (Les Pelleteurs de nuages)

La main à la pâte

Dans les prochaines phrases, **attention** : vous aurez à essayer tous les trucs pour **l'ensemble des homophones** que vous venez d'étudier. N'hésitez pas à revenir sur les notions précédentes. Vous êtes en apprentissage, il est **normal que vous ne reteniez pas tout** d'un seul coup. Les exercices et le retour aux règles de base favorisent la mémoire et augmentent les habiletés. **Corrigez les homophones suivants, quand il y a lieu.**

1. Elles son_____ ici, assises a_____ leur pupitre.

2. Ont_____ vous a_____ dit de revenir a_____ seize heures.

3. Se_____ pupitre est trop étroit pour moi, c'est_____ son frère qui me l'a_____ donné.

4. Elles se_____ parlent sur le bord du canal, se_____ son_____ deux sœurs.

5. Ou_____ es-tu allé chercher de si belles idées ?

6. Elles ce_____ sont parlé longuement, mais ou_____ , je n'en sais rien.

7. Les filles, se_____ son_____ vos vêtements qui son_____ là ?

8. S'est_____ vrai qu'elles ne ce_____ voient plus, depuis se_____ jour ou_____ elles ce_____ sont disputées.

9. Ou_____ as-tu eu cette bonne idée ? A_____ l'école où_____ a_____ la maison ?

10. S'est_____ en ce_____ rappelant ses_____ bons souvenirs qu'ils on_____ pu commencer a_____ ce_____ pardonner.

11. Il cherche l'endroit ou_____ il peut placer ces_____ tableaux qu'il vient de recevoir de sa tante.

12. Son_____-ils a_____ toi, ses_____ petits crayons, où_____ est-ce que se_____ son_____ les miens ?

13. Toutes ses_____ phrases que nous avons lues, nous on_____-elles aidés a_____ démêler ses_____ homophones où_____ nous on_____-elles nui ?

14. Se_____ que tu me dis, s'est_____ bien vrai ?

15. Sont_____ chat est malade depuis que ces_____ chiens

    son____ revenus, s'est_____ ce____ que l'ont____ m'a dit.

16. J'ai appris que tu viendrais et que l'ont_____ ferait la fête.

17. J'apprends son_____ bonheur a_____ l'instant même

    et je suis heureuse pour lui, car il l'à_____ bien mérité.

18. Tu sauras ou_____ tu vas en suivant bien les indications.

19. Il avait a_____ démêler ses_____ homophones quand

    ces_____ amis son_____ arrivés et il a_____ décidé

    d'arrêter pour ce_____ reposer un peu.

20. Ont_____ dirait que les gens on_____ honte de

    ce_____ trouver beaux et de s'aimer ; est-ce que

    s'est_____ aussi ton cas ?

(corrigé, *Les mordus…*, page 8)

↢ **Ce, ces** : on montre, on désigne.
Ce pupitre (**là**) ; **ces** pupitres (**là**) ;

↢ **C'est** : **cela + verbe être**, on montre,
on désigne. **C'est** ta fille (**cela est** ta fille).

↢ **Se** : il s'agit de **soi-même**, de la personne.
Elle **se** regarde (**on ne peut** dire :
elle cela regarde) ;

↢ **Ses** : il s'agit de **sa** possession.
Elle met **ses** bas (elle met **mes** bas :
on peut le remplacer par **mes**) ;

↢ **S'est** : **soi-même**.
Elle **s'est** vue dans la glace
(elle **s'est** vue elle-même).

↢ **Son** : **appartient à la personne**,
on peut le remplacer par **mon, ton** :
son pupitre (**mon** pupitre) ;

↢ **Sont** : verbe **être** au présent,
troisième personne du pluriel.
On peut le remplacer par **étaient** :
ils sont **gentils** (ils **étaient** gentils).

Résumons les *Trucs du chef*

Vos Secrets...

A : verbe **avoir** au présent,
troisième personne du singulier.
On peut le remplacer par **avait** :
il **a** du mal (il **avait** du mal) ;

À : **préposition** ; indique, en général, un endroit.
On ne peut le remplacer par **avait** :
il va **à** Montréal (il **va avait** Montréal...).

Ou : **on peut** dire **ou bien**.
J'aime ceci **ou** cela (**ou bien** cela) ;

Où : **on ne peut** dire **ou bien**.
Il indique, en général, un endroit. **Où** vas-tu ?
(**Ou bien vas-tu**, cela ne se dit pas).

On : **on peut** le remplacer par **Yvon**.
On marche tous les jours :
Yvon marche tous les jours ;

Ont : **on peut** le remplacer par **avaient**.
Ils **ont** du courage : ils **avaient** du courage.

atelier

05

Le roman à l'imparfait et la concordance des temps

Ce sont les deux règles de base de mon écriture.

L'imparfait est le temps des romanciers. Le fait qu'il soit imparfait n'indique pas qu'il ne soit pas parfait. C'est le temps idéal pour convaincre la lectrice et le lecteur que ce que l'on raconte s'est bel et bien passé. L'imparfait, c'est du passé qu'on fait revivre comme s'il se déroulait sous les yeux du présent. L'imparfait, c'est le temps du roman. Le présent, celui du scénariste. L'infinitif et le conditionnel, les temps de la poésie. D'ailleurs, les plus belles histoires de la littérature ne commencent-elles pas toujours par : « Il était une fois... » ?
Pour que l'imparfait soit encore plus parfait, il faut s'assurer que tous les temps concordent entre eux comme s'il y avait des *flash-back* dans l'histoire que l'on raconte.

La concordance des temps, c'est la marque des gestes du conteur dans l'écriture. Le balancement de ses bras en alternance pour bien marquer le déroulement de l'action. « C'était un grand gars qui avait des oreilles démesurées. Il en avait eu assez qu'on se moque de lui. Cet été-là, il s'était mis à grimper dans les arbres pour écouter les lointaines étoiles qui chantaient des chansons qu'il était le seul à entendre. » Vous voyez ? L'emploi du plus-que-parfait creuse des trous dans l'imparfait pour mettre du relief entre les temps. Comme le vent dans les branches, justement.

Sacrée grammaire !

Louis Caron

Texte inédit de Louis Caron

L'assaisonnement

Avant de nous « attaquer » aux participes (et n'ayez crainte, c'est nous qui gagnerons contre eux!) revoyons les **temps de verbes** et **leurs finales**. Pour un approfondissement de la chose, consultez votre *Bescherelle*. Vous n'en possédez pas? Quel beau cadeau à recevoir à Noël ou pour votre anniversaire! Il vous évitera d'avoir à apprendre par cœur plus de 12 000 verbes!

Les verbes ont des sujets, que l'on appelle aussi « personnes ».

1re   personne du **singulier** : je
2e   personne du **singulier** : tu
3e   personne du **singulier** : il, elle, on.

1re   personne du **pluriel** : nous
2e   personne du **pluriel** : vous
3e   personne du **pluriel** : ils, elles.

Les verbes font partie de groupes, que l'on reconnaît par la **finale** du verbe.

Le **premier groupe** présente une finale en **er**. Aim**er** en est le principal exemple.

Le **deuxième groupe** présente une finale en **ir**. Fin**ir** en est le principal exemple (on le reconnaît en le conjuguant à la première personne du pluriel : nous fin**issons**).

Le **troisième groupe** comprend **tous les autres verbes** : en ir, oir, re, etc. (mour**ir**, revo**ir**, vend**re**, etc.).

Les verbes du troisième groupe dont la finale est en **ir** ne peuvent faire « **issons** » (par exemple, on ne pourrait dire : nous mour**issons**).

Les modes et les temps des verbes

Le présent : il s'agit de ce qui se passe à ce moment, de ce qui a lieu (je mange) ou de ce qui est (il est jeune), à l'instant même.

Vous observerez que les finales sont toujours semblables **selon le groupe** du verbe.

1er groupe	2e groupe	3e groupe
aimer (exemple)	finir (exemple)	re, ir, oir, etc.
Je : e	is	s (x)
Tu : es	is	s (x)
Il, elle, on : e	it	t (d)
Nous : ons	issons	ons
Vous : ez	issez	ez
Ils, elles : ent	issent	ent (nt)

T'écrire l'amour, c'est...

Conjuguer avec l'absence de ton complément direct ou de ton humble sujet. Tourner la page de ton passé pour t'offrir, en présent, le meilleur à venir...

- Francis Pelletier -
Texte inédit (Les Pelleteurs de nuages)

L'imparfait : une action a été commencée, mais une « imperfection » fait qu'elle ne s'est pas terminée. L'imparfait suppose un « mais » un peu tristounet : « Je l'aimais, mais... ».

1er groupe	2e groupe	3e groupe
aimer (exemple)	finir (exemple)	oir, re, ir, etc.
Je : ais	issais	ais
Tu : ais	issais	ais
Il, elle, on : ait	issait	ait
Nous : ions	issions	ions
Vous : iez	issiez	iez
Ils, elles : aient	issaient	aient

Le passé simple : il décrit une action passée et vous cause des ennuis, surtout en narration. De plus, il vous donne un petit air français, aux **trois personnes du pluriel**.

1er groupe	2e groupe	3e groupe
aimer (exemple)	finir (exemple)	oir, re, ir, etc.
Je : ai	is	is, us
Tu : as	is	is, us
Il, elle, on : a	it	it, ut
Nous : âmes	îmes	îmes, ûmes
Vous : âtes	îtes	îtes, ûtes
Ils, elles : èrent	irent	irent, urent

Le futur : il indique qu'une action n'est pas encore faite. Elle le sera plus tard. Un truc pour la finale, dites-vous : « Le chat **mangera** le rat et **ronronnera**... » **rai ras ra rons rez ront** !

1ᵉʳ groupe	2ᵉ groupe	3ᵉ groupe
aimer (exemple)	finir (exemple)	oir, re, ir, etc.
Je : erai	irai	rai
Tu : eras	iras	ras
Il, elle, on : era	ira	ra
Nous : erons	irons	rons
Vous : erez	irez	rez
Ils, elles : eront	iront	ront

Le conditionnel présent se fait à la condition que... : il suppose donc un « si ». Pour vous aider, dites-vous : « Je **rirais si** tu étais drôle » : rais rais rait **rions riez** raient.

1ᵉʳ groupe	2ᵉ groupe	3ᵉ groupe
aimer (exemple)	finir (exemple)	oir, re, ir, etc.
Je : erais	irais	rais
Tu : erais	irais	rais
Il, elle, on : erait	irait	rait
Nous : erions	irions	rions
Vous : eriez	iriez	riez
Ils, elles : eraient	iraient	raient

L'impératif présent laisse entendre qu'un **ordre** est donné (par l'**impératrice**). Il n'y a que **trois** personnes : **tu, nous, vous**. Ces pronoms ne sont **pas inclus** dans la conjugaison.

1ᵉʳ groupe	2ᵉ groupe	3ᵉ groupe
aimer (exemple)	finir (exemple)	oir, re, ir, etc.
-	-	-
Aime	Finis	s (e)
-	-	-
Aimons	Finissons	ons
Aimez	Finissez	ez
-	-	-

Le subjonctif présent suppose une obligation (**il faut que...**). On trouvera donc le **que** lors de sa conjugaison. Remarquez les finales : au pluriel, un **i** s'ajoute. Exemple **voir** : « Il faut que **nous** les voy**ions** ».

1ᵉʳ groupe	2ᵉ groupe	3ᵉ groupe
aimer (exemple)	finir (exemple)	oir, re, ir, etc.
Que je : e	isse	e
Que tu : es	isses	es
Qu'il, elle, on : e	isse	e
Que nous : ions	issions	ions
Que vous : iez	issiez	iez
Qu'ils, elles : ent	issent	ent

Nous avons vu là l'essentiel des verbes à écrire correctement.

Au mode indicatif, en plus des temps dont nous venons d'examiner les finales (présent, imparfait, passé simple et futur), vous trouverez : le passé composé, le plus-que-parfait, le passé antérieur, le futur antérieur.

Au mode subjonctif, en plus du temps dont vous avez vu la finale (subjonctif présent), vous trouverez le subjonctif passé, l'imparfait et le plus-que-parfait.

Au mode impératif, en plus du temps présent, vous verrez l'impératif passé.

Au mode conditionnel, nous avons vu le présent, mais il existe aussi deux sortes de passé.

Enfin, après ces exercices, nous en arrivons à votre préféré : le **mode participe** !

Truc du chef

Les verbes, ne l'oubliez pas, ont un modèle. Au présent, les verbes en **er**, du **premier groupe**, se conjuguent comme le verbe **aimer**.

Les verbes en **ir** se conjuguent comme le verbe **finir**, s'ils sont du **deuxième groupe**.

Les verbes du **troisième groupe** : en **oir**, **re**, **ir** et autres ont une finale qui se ressemble.

La main à la pâte

Dans les phrases suivantes, faites le bon accord de finales de verbes, au **présent** et à l'**impératif**.

1. Tu les [aimer] _____ , ils sont si beaux à regarder !

2. Tu [finir] _____ tes devoirs et tu [jouer] _____ dehors.

3. Ils [préparer] _____ les repas des fêtes et ils [vouloir] _____ avoir du plaisir.

4. Nous [rejoindre] _____ les élèves et nous [fêter] _____ avec eux.

5. Ils [plaire] _____ à tous ceux qu'ils [voir] _____ .

6. Ils [revenir] _____ dès qu'ils le [pouvoir] _____ .

7. Vous [mourir] _____ de rire chaque fois que vous [écouter] _____ cette émission.

8. Tu [accueillir] _____ cette nouvelle et tu te [surprendre] _____ à ne pas en être attristé.

9. Nous [adorer] _____ ces repas que tu [mijoter] _____ .

10. Ils [revenir] _____ dès qu'ils le [pouvoir] _____ .

11. Tu les [oublier] _____ très peu souvent, ces règles que tu [apprendre] _____ .

12. Ils [bâtir] _____ la maison de leurs rêves.

13. Vous [revenir] _____ de la réunion et vous [être] _____ épuisés, mais vous [sourire] _____ .

14. Tu [acheter] _____ les fruits et les légumes.

15. Tu [vouloir] _____ des nouvelles et tu [attendre] _____ avec impatience l'appel du médecin.

16. Nous [espérer] _____ la fin du compte à rebours.

17. Les finalistes [rapporter] _____ de beaux trophées.

18. Josée et Isabelle [parler] _____ de leurs

plus chers rêves.

19. Benoît et Mathieu [finir] _____ leur travail.

20. Ils [vouloir] _____ des vacances bien méritées.

21. Tu ne l'[ennuyer] _____ pas, tu [poser] _____

toujours de bonnes questions et tu le [savoir] _____ .

22. Les deux amis [apercevoir] _____ les policiers

qui se [retirer] _____ des lieux de l'accident.

23. [Aimer] _____ ce travail autant que tu le

[pouvoir] _____ , mais n'[oublier] _____

pas de penser un peu à toi et [faire] _____

attention à ta santé.

24. Ces temps de verbes, ils les [apprécier] _____ .

25. Tu le [vendre] _____ avec tristesse, cet article,

mais tu [prendre] _____ la bonne décision.

26. [Revoir] _____ ensemble la règle de l'impératif

présent et [retenir] _____ que ce verbe n'a que

trois personnes : tu, nous et vous.

27. [Écouter] _____-moi, j'ai quelque chose d'important

à te dire, mais avant, [finir] _____ tes devoirs.

28. Je [partir] _____ dans quelques secondes, mais

avant, j'[expédier] _____ ce courriel.

29. Il [apprécier] _____ ces heures de loisir et il te

[convaincre] _____ de te reposer un peu.

(corrigé, *Les mordus…* , page 9)

La main à la pâte

Dans les phrases suivantes, faites le bon accord de finales de verbes, à **l'imparfait** et au **passé simple**.

1. Je ne [vouloir] imparfait _____ absolument pas

   le rencontrer avant ce jour-là.

2. Il [partir] passé simple _____ sans demander son dû.

3. Il [venir] passé simple _____ à ta rencontre et

   tu lui [parler] passé simple _____ .

4. Ils [marcher] passé simple _____ sans se retourner

   et quand ils [s'arrêter] passé simple _____ ,

   ils [voir] passé simple _____ des scènes

   extrêmement émouvantes.

5. Nous [venir] passé simple _____ à cette réunion

   sans nous soucier de rien.

6. Nous [arriver] passé simple _____ en retard et

   ils [reporter] passé simple _____ la réunion.

7. Il nous [falloir] passé simple _____ bien du courage

   lorsque nous [partir] passé simple _____ de

   chez nous.

8. Ils se [retourner] passé simple _____ tous les trois

   dès qu'ils [entendre] passé simple _____ ta voix.

9. Elle t'[aimer] passé simple _____ tout au long de

   sa vie et tu l'en [remercier] passé simple _____

   de tout cœur.

(corrigé, *Les mordus...*, page 10)

Le moine, le novice et l'âne

Un jour, alors que je demandais conseil à mon maître sur la meilleure façon de me comporter afin de plaire à autrui, celui-ci me dit de le suivre au village. Mon maître monta sur un âne, me tendit la bride et me demanda de l'amener sur la place du marché. Arrivé à destination, j'entendis des hommes dire : « Regardez cet ingrat de vieux moine qui monte à dos d'âne alors que son novice est à pied ! Les moines sont de fameux égoïstes ! » Le lendemain, nous avons recommencé l'exercice mais, cette fois, c'est moi qui étais assis sur l'âne. Les mêmes hommes déclarèrent haut et fort : « Ce novice n'a aucune éducation ! Il laisse marcher son maître, un vieux moine fatigué et fourbu ! Décidément, les bonnes manières se perdent ! » Le troisième jour, essayant de faire l'unanimité, nous sommes retournés au village à pied en traînant la bête derrière nous. Les commentaires furent : « Regardez ce stupide moine et son novice ! Ils ne sont pas assez intelligents pour monter sur leur âne et s'éviter des pas ! Les moines n'ont plus la sagesse qu'ils avaient ! » Le quatrième jour, nous sommes montés tous les deux sur l'âne. Le discours avait encore une fois changé : « Voyez ces moines qui n'ont aucune pitié pour la pauvre bête ! On ne peut décidément pas faire confiance aux moines ! » Pour pousser davantage le ridicule, nous portâmes ensemble l'âne le cinquième jour. On entendit de toutes parts : « Les moines sont complètement fous, regardez comment ils agissent ! Les monastères sont de véritables maisons de demeurés ! » Ai-je besoin maintenant de t'expliquer la morale de mon histoire ?

– Non, dit Amos en rigolant. Je comprends que, quoi que je fasse, je ne ferai jamais l'unanimité et que l'opinion des autres est variable et instable.

– Ne fais jamais rien pour te conformer à ce que pensent les autres, reprit Sartigan. Tu dois sentir en toi le chemin qu'il faut prendre. Moi, je ne suis pas là pour t'indiquer le chemin, je suis là pour faire la route avec toi.

Bryan Perro

Extrait du livre de Bryan Perro : *Amos Daragon-tome 4* (Les Intouchables)

Qu'est-ce qu'un **participe** *?*

Le mariage d'ingrédients

Pour comprendre les participes, encore faut-il savoir ce qu'ils sont et comment ils sont formés. La langue française nous présente plusieurs formes de participes. Cauchemars pour plusieurs d'entre vous, ils peuvent cependant être « apprivoisés ». Voyons-les et apprenons comment !

Cependant, avant de les approfondir, il serait bon de rappeler de quoi ils sont formés.

Pour reconnaître un participe, il faut savoir ce qu'est un auxiliaire.

Comme son nom l'indique, **le participe** est là pour indiquer que l'on **participe à une action**, dans le présent (on parle alors du participe présent) ou que l'on y a participé dans le passé (on parle ici du participe passé, celui qui vous fait frémir !). On en trouve **quatre** grandes **catégories** :

1. Le participe passé employé avec l'auxiliaire **être** ;
2. Le participe passé employé **seul** ;
3. Le participe passé employé avec l'auxiliaire **avoir** ;
4. Le participe passé des verbes **pronominaux**.

L'auxiliaire est un élément qui s'ajoute au verbe à conjuguer pour en définir le temps. Lorsqu'on parle de participes passés, on sous-entend qu'il y a eu une action et qu'elle est passée. Pour décrire cette action, on doit **composer** un verbe, c'est-à-dire : y mettre plus d'un ingrédient.

L'ingrédient ajouté au verbe est appelé **auxiliaire**. Ce mot signifie : **aide**. Pour mieux comprendre le sens du mot **auxiliaire**, pensez aux infirmières auxiliaires. Elles sont là pour **aider** l'infirmière dans sa tâche. Pensez aussi aux auxiliaires de recherche qui **aident** les chercheurs, ainsi de suite.

Dans la phrase, l'auxiliaire n'est évidemment pas une personne. Il s'agit d'un **verbe** et il sert à **conjuguer** un autre **verbe** au temps **composé**. Le temps composé est donc constitué de **deux verbes**, dont le **premier** est **l'auxiliaire**.

Les auxiliaires : avoir, être
(et verbes d'état)

Les deux verbes qui jouent le rôle d'auxiliaires sont : **avoir** et **être**. Il importe de reconnaître ces deux verbes pour reconnaître les participes qu'ils accompagnent et forment.

L'Art de conjuguer de *Bescherelle* vous offre un tableau complet de ces deux verbes. Autonomes dans une phrase, ils servent aussi, nous le répétons, d'auxiliaires dans la formation des temps composés.

Cependant, ces deux verbes ne jouent pas seulement le rôle d'auxiliaire. Ils peuvent constituer les **verbes conjugués** de la phrase. Voici des exemples de chacun de ces verbes, lorsqu'ils **ne sont pas** des **auxiliaires** :

Verbe être

⬳ **Présent** : Il **est** là, à attendre l'arrivée du facteur ;

⬳ **Imparfait** : Elle **était** ici il y a 10 minutes à peine ;

⬳ **Conditionnel** : Nous **serions** à ce souper, si tu nous invitais ;

⬳ **Futur** : Nous **serons** ici dès 20 heures.

Dans chacune de ces phrases, le verbe employé est le **verbe être**, il ne joue pas le rôle d'auxiliaire, c'est le verbe **conjugué** de la phrase.

Verbe avoir

⬳ **Présent** : Il **a** mal à la tête ;

⬳ **Imparfait** : Elle **avait** une réunion urgente ;

⬳ **Conditionnel** : Nous **aurions** du plaisir si nous avions le temps ;

⬳ **Futur** : Nous **aurons** des choses à raconter.

Dans chacune de ces phrases, le verbe employé est le **verbe avoir**, il ne joue pas le rôle d'auxiliaire, c'est le verbe **conjugué** de la phrase.

Pour obtenir une action à un **temps composé**, nous aurons recours aux verbes **être** ou **avoir**, employés comme **auxiliaires** et non comme verbes conjugués. Les auxiliaires **avoir** et **être** peuvent être **employés** à **tous les temps** et à **toutes les personnes**.

Auxiliaire être

Pour obtenir une action au **temps composé**, nous pouvons avoir recours au **verbe être**, mais comme auxiliaire (et non comme verbe conjugué).

↳ Il **est resté** là à attendre l'arrivée du facteur.

L'auxiliaire est **être**, le **participe passé** est **resté**.

Auxiliaire avoir

Pour obtenir une action au **temps composé**, nous pouvons avoir recours au **verbe avoir**, mais comme auxiliaire (et non comme verbe conjugué).

↳ Tu **avais éprouvé** de la difficulté à croire ces racontars.

L'auxiliaire est **avoir**, le **participe passé** est **éprouvé**.

Voici quelques exemples de **participes passés** :

↳ Répondre = **répondu** ;

↳ Choisir = **choisi** ;

↳ Atteindre = **atteint** ;

↳ Partir = **parti** ;

↳ Aimer = **aimé**.

Truc du chef

Pour connaître la **finale** d'un participe, il suffit de le mettre au **féminin**.

↳ **Fini** : finie et non finite ou finise : la classe est finie ; le jour est fini ;

↳ **Pris** : prise et non prie ou prite : ta main est prise ; l'enfant est pris.

↳ **Bâti** : bâtie et non bâtite ou bâtise : la maison est bâtie ; le garage est bâti ;

↳ **Écrit** : écrite et non écrise ou écrie ; la lettre est écrite ; le bulletin est écrit.

Le participe passé **employé avec** l'auxiliaire être

Le **participe passé** des verbes employés **avec** l'auxiliaire **être s'accorde** comme un **adjectif** avec le **nom** ou le **pronom sujet du verbe être** auquel il se **rapporte**. Pour trouver ce nom ou ce pronom, on pose la question **qui est-ce qui** ou **qu'est-ce qui** devant l'auxiliaire et le participe passé.

↰ Elles **étaient convaincues** de leur réussite et de leur pouvoir.

Qui est-ce qui étaient **convaincues** de leur réussite et de leur pouvoir ? **Elles.** L'accord se fait avec ce **sujet** ; convainc**ues** prend la marque du féminin pluriel.

↰ Ils **seraient revenus** de cette expédition en montagne.

Qui est-ce qui seraient **revenus** de cette expédition en montagne ? **Ils.** L'accord se fait avec ce **sujet** ; reven**us** prend la marque du masculin

Êtes-vous d'accord ? **Tous** les participes passés **s'accordent** comme des **adjectifs qualificatifs.**

Le participe passé **employé seul**

Le participe passé peut apparaître **sans** son auxiliaire de conjugaison.

Dans ce cas, on parle d'auxiliaire **sous-entendu** et il s'agit de l'auxiliaire **être** qui, bien qu'il ne soit pas dans la phrase, est sous-entendu ou **invisible.**

Le **participe passé** employé **seul s'accorde** toujours comme un **adjectif** avec le **nom** ou le **pronom** auquel il se rapporte. Les lumières allum**ées** = les lumières **sont** allum**ées.**

Pour trouver ce nom ou ce pronom, on pose la question **qui est-ce qui** ou **qu'est-ce qui** devant le participe passé.

↰ La nuit, les lumières **éteintes** font peur aux enfants.

Qu'est-ce qui fait peur aux enfants ? **Les lumières.** L'accord se fait avec le nom **lumières** ; éteint**es** prend la marque du féminin pluriel

↰ **Épuisés** après cette dure lutte, les chatons s'endorment rapidement.

Qui est-ce qui est épuisé ? **Les chatons.** L'accord se fait avec le nom **chatons** ; épuis**és** prend la marque du masculin pluriel.

La main à la pâte

Accordez les participes passés des phrases suivantes. Notez que certains sont employés avec l'**auxiliaire être**, d'autres sont **employés seuls**.

1. Grâce à leurs résultats scolaires, ces élèves épanoui_____ se faisaient davantage confiance.

2. Les pluies, le vent et la bourrasque étaient parvenu_____ à nous déloger et nous étions parti_____ .

3. Patricia et Véronique avaient été désigné_____ pour réaliser ce projet.

4. Les émissions télédiffusé_____ à l'heure du souper sont écouté_____ par un grand nombre de personnes intéressé_____ .

5. Les poules et leurs petits poussins sont déjà entré_____ au poulailler.

6. Les radis sont souvent récolté_____ dès le début de juillet.

7. Les outils oublié_____ sur les sols gelé_____ seront nettoyé_____ avant d'être utilisé_____ .

8. Les textes écrit_____ trop rapidement contiennent des erreurs.

9. Les moulins rouges sont situé_____ près de la rivière où mes sœurs sont né_____ .

10. Des régimes et des médicaments nous seront parfois imposé_____ si notre santé est devenu_____ précaire.

11. Toutes ces phrases, appris_____ par cœur, étaient souvent suivi_____ de petits textes non mémorisé_____ .

12. Les poupées des enfants, posé_____ près de leur lit, semblaient venu_____ leur dire bonne nuit.

(corrigé, *Les mordus...*, page 10)

Le **participe passé**, employé **seul** ou avec l'auxiliaire **être**, **s'accorde toujours** avec le **nom** ou le **pronom** auquel il se **rapporte**, et ce, comme un **adjectif**.

Le **participe passé** est la seule forme de verbe qui **s'accorde comme un adjectif**.

C'est pourquoi il prend les marques du **genre** (**masculin** ou **féminin**) et du **nombre** (**singulier** ou **pluriel**) :

- aim**é**, aim**ée**, aim**és**, aim**ées** ;
- fin**i**, fin**ie**, fin**is**, fin**ies** ;
- rend**u**, rend**ue**, rend**us**, rend**ues** ;
- produi**t**, produi**te**, produi**ts**, produi**tes** ;
- e**u**, e**ue**, e**us**, e**ues** ;
- cré**é**, cré**ée**, cré**és**, cré**ées**.

Défi : questionnez votre imagination pour découvrir ce qu'*il y a*... d'autre ?

Il y a...

Il y a ceux qui naviguent et ceux qui comptent le faire un jour, peut-être, si... Il y a ceux qui prennent la mer et ceux qui se font prendre par leur mère. Il y a ceux qui dérivent, au courant et au vent, et ceux sur la rive, courant sous l'auvent. Il y a ceux qui courent toujours tous les risques, et ceux qui en prennent, à toujours les éviter. Il y a ceux qui voient gros et ceux qui n'en mènent pas large. Il y a ceux que l'on aime détester et ceux que l'on déteste aimer. Il y a ceux qui aiment souffrir et ceux qui ne savent leur refuser ce plaisir. Il y a ceux qui se dépensent et ceux qui pensent. Il y a ceux qui sont difficiles à cerner et ceux qui sont cernés d'essayer. Il y a ceux qui ont toujours raison et ceux qui ont encore leur raison. Il y a ceux qui espèrent réussir et ceux qui ne réussissent plus à espérer. Il y a ceux que la vie a choyés et ceux qu'elle a gâtés.

Il y a... la différence !

Francis Pelletier

Extrait de l'affichette *Il y a* (Les Pelleteurs de nuages)

Annabelle

Quand il écoute Annabelle lui répéter ce qu'elle a crié à sa mère cette nuit-là, il entend ce que Christianne a compris : sa propre fille lui hurlait ce qu'elle-même aurait dû hurler à sa mère : que cessent l'abus, le contrôle, l'impossibilité d'atteindre ce que sa mère semblait attendre d'elle. Christianne entendait sa fille hurler qu'elle éprouvait le même sentiment d'échec impeccable, parfait sur toute la ligne. Et Christianne perdait Anna. Et cette nuit-là, Christianne apprenait qu'il fallait qu'elle perde Anna pour la mettre à l'abri d'elle-même, de sa folie et de la chaîne impitoyable de la douleur. Le croisement dément, infernal, des causes et des effets pour aboutir à ce piège : du début, Christianne était condamnée. Rien qui permette d'échapper à l'emprise de la mère. La porte fermée pour toujours. Le délire au bord de la bouche close, ramollie à coups de calmants, le délire enfermé dans cette femme assommée à coups de chantage maternel. « ILS NE GAGNERONT PAS. » Oh oui ! Du début, ils avaient gagné. Dès le départ, Christianne, et c'est ta propre fille qui a brisé le sceau du silence. Ta fille qui a levé le voile et montré qu'il faut trahir si on veut vivre. Qu'il faut abandonner les bourreaux et se résoudre à laisser les âmes damnées se faire du mal sans nous. S'extirper de la spirale qui nous projette vers le fond, face enfouie dans leur vase et leurs promesses.

Il caresse les cheveux d'Annabelle en silence. Comme il a risqué gros avec son inconscience.
Aveugle, comme le père de Christianne.

— Alors ? Tu penses quoi ?

— Je pense, Anna, qu'il y a deux sortes de gens : ceux qui naissent à l'abri et ceux qui naissent en danger. C'est comme ça. Sans raison et sans justice. Je pense que ta mère était profondément en danger, qu'elle s'est battue vaillamment, courageusement, mais qu'elle a perdu.

Marie Laberge

Extrait du livre de Marie Laberge : *Annabelle* (Boréal) p. 468-469

Le *participe passé* employé avec l'auxiliaire avoir

La suite du mariage d'ingrédients

Le participe passé **employé avec** l'auxiliaire avoir

Le **participe passé** des verbes employés avec l'auxiliaire **avoir** s'accorde avec le **complément direct du verbe (CDV)** si, et seulement si, ce complément est placé **avant** le **participe passé**.

S'il n'y a **pas** de complément direct ou si celui-ci est placé **après** le participe passé, ce participe passé **ne s'accorde pas**.

Notez bien

Comment trouver le
complément direct du verbe (CDV)?

Pour trouver un **CDV**, il faut, au préalable, avoir trouvé le **sujet** et le **verbe**. Aidé de ces deux éléments, on pose la question **qui** ou **quoi**, **après** le participe passé.

↰ Les pommes que Lucien **a mangées** étaient succulentes.

Trouvez d'abord le **sujet** en posant la question **qui est-ce qui** a mangé? Lucien (sujet); prenez le **sujet** + le **verbe** + la question **qui** ou **quoi**; Lucien (sujet) a mangé (verbe) quoi? **Les pommes = CDV**.

Le participe passé mang**ées** s'accorde donc comme un **adjectif** avec le **CDV** *les pommes*, car ce **CDV** est placé **avant** le participe passé.

↰ Maude **a reçu** des visiteurs ennuyeux.

Maude (sujet) a reçu (verbe) **qui**? **Des visiteurs ennuyeux = CDV**. Le participe passé reçu ne s'accorde pas, car le **CDV** *des visiteurs ennuyeux* est placé **après** le participe passé.

↰ Martine **a revu** ses amis.

Martine (sujet) a revu (verbe) **qui**? **Ses amis = CDV**. Le participe passé rev**u** ne s'accorde pas, ici, car le CDV *ses amis* est placé **après** le participe passé.

Un **pronom** tel que « **le, la, les** », etc. peut se trouver **avant** le **verbe** et jouer le rôle du **CDV**. À ce moment, le **participe passé** s'accorde.

↤ Nicole **les** a vus, ces chiens-guides.

Nicole (sujet) a vu (verbe) **qui**? **Les = CDV, mis pour chiens-guides**. Le participe passé **vus** s'accorde alors avec le pronom *les*, **CDV** masculin pluriel.

Rappel

Le **participe passé** employé avec l'auxiliaire **avoir s'accorde** comme un **adjectif** avec le **CDV** si, et seulement si, ce dernier est placé **avant** le **verbe**.

Si le **CDV** est placé **après** le **verbe** ou s'il n'y a **pas** de **CDV**, le participe passé **ne s'accorde pas**.

Pour **trouver** le **CDV**, il faut toujours prendre **sujet + verbe + qui** ou **quoi**, question posée **après** le **participe passé**.

La main à la pâte

Accordez, au besoin, les participes passés des phrases suivantes, employés avec l'auxiliaire avoir.

1. Toutes ces choses que vous nous avez donné_____ nous ont permis_____ de résister aux grands froids.

2. Tu les fais souvent, les recettes que tu as appris_____ .

3. Cette promenade dans les bois, Michaël l'avait toujours espéré_____ , il l'a donc vécu_____ avec joie.

4. « Les propos que tu as tenu_____ m'ont aidé_____ à remonter la pente », racontait Vicky.

5. Sébastien les a entendu _____ et réentendu_____ , ces histoires à dormir debout, et il ne les a jamais oublié_____ .

6. Lynda m'a dit_____ : « Est-il vrai qu'ils m'ont rencontré_____ hier, sur la voie publique ? Moi, je ne les ai pas aperçu_____ . »

7. Voici les objets que vous aviez perdu_____ lors de cette sortie imprévue.

8. Nous ne vous les avons pas donné_____ , ces cadeaux, car vous les aviez sans doute déjà acheté_____ .

9. Les tables et les chaises, ils les ont enlevé_____ rapidement et tu les as remercié_____ très chaleureusement.

10. Ces boutiques, on les a fermé_____ il y a dix jours.

11. Je l'ai adoré_____ ma voisine, car elle m'a très souvent rendu_____ service.

12. Le vent tapageur a hurlé_____ des noms fous, aux sonorités lugubres, et moi, je n'ai pas dormi_____ .

13. Les chatons sauvages qu'il a trouvé_____ dans le foin séché, il les a apprivoisé_____ .

14. Je les leur avais rapporté_____ , ces fleurs cueilli_____ la veille.

15. Ils ont marché_____ dans le froid et dans le vent glacial, et ce, pendant des heures, sans avoir une seule fois perdu_____ courage.

16. « Ils nous ont enfin embauché_____ », disaient Josée et Alexandre, tout heureux d'avoir obtenu_____ ce poste.

17. Les mensonges ont toujours suscité_____ la méfiance.

18. Tu ne l'as pas provoqué_____ et pourtant, elle est en colère.

19. Je les ai bien appris_____ , les chansons de mon père.

(corrigé, *Les mordus...* , page 11)

08

Les amours saisonnières d'un arbre branché

On chuchote entre les branches. On dit que ses amants passent, trépassent et repassent.
Ils défilent toujours dans le même ordre au fil des ans, ne demeurent jamais plus d'un mois,
jamais moins, depuis la nuit des temps.

Ainsi, chaque année, la belle grande tige effeuillée s'éveille et s'étire dans les bras engourdis d'AVRIL.
Elle renaît dans ceux de MAI, ne fleurette et s'éclate vraiment qu'avec JUIN, qui la caresse de son
souffle chaud, du matin au soir, et la couvre d'oiseaux précieux. Elle tricote des nids avec JUILLET,
prend du poids sous le regard suspicieux d'AOÛT, plutôt bonasse et encore... cocu.

Elle accouche près de SEPTEMBRE, est de nouveau dévêtue par les mains frileuses
et vantardes d'OCTOBRE, scrupuleusement oubliée par NOVEMBRE,
consolée, cajolée et bordée par DÉCEMBRE, un vrai père Noël !

Elle est chahutée par le caractère intempestif et imprévisible de JANVIER,
bercée et endormie par FÉVRIER, et... rêve en masse.

Que le temps cesse de courir et les mois d'accourir pour faire la cour aux arbres de la cour.
Par un beau soir de froidure, ces tiges romantiques, sommeillant debout dans les branches les unes
des autres, songent d'amours qui durent un peu... plus de trente et un jours.

Francis Pelletier

Extrait du livre de Francis Pelletier : Il y a...
Aussi disponible en affiche littéraire et sur CD (Les Pelleteurs de nuages)

La fin de la suite du mariage d'ingrédients... et l'entente à l'amiable

Certains, dont vous peut-être, le considèrent comme leur pire ennemi! Pourtant, si vous manipulez bien les participes passés employés avec les auxiliaires avoir et être, celui-ci devrait « bien se conduire » devant vous!

Tout d'abord, c'est quoi, ça, un **verbe pronominal** ?

Le **verbe pronominal** se reconnaît facilement, car il est utilisé avec **deux pronoms** de la **même** personne grammaticale.

↞ **Je me** promène (verbe promener) ;
Tu te regardes (verbe regarder) ;
Il se questionne (verbe questionner) ;
Nous nous pardonnons (verbe pardonner) ;
Vous vous épuisez (verbe épuiser) ;
Ils se découvrent (verbe découvrir).

Accidentellement pronominal. On **ajoute** un **deuxième pronom** au verbe lorsqu'on veut insister sur le fait que c'est la personne **elle-même** qui fait l'action

↞ **Je me** promène.

C'est moi-même qui me promène. Lorsqu'on ajoute ce deuxième pronom, on parle d'un verbe **accidentellement pronominal**.

Essentiellement pronominal. Par ailleurs, il existe des verbes pour lesquels la forme pronominale est permanente et obligatoire, c'est-à-dire qu'on **ne peut** les conjuguer avec **un seul pronom**.

↞ **Se** taire, **s'**enfuir, **se** souvenir, **se** passer de, **s'**évanouir, **s'**absenter, en sont des exemples.

Ces verbes ne peuvent se conjuguer avec un seul pronom. **On ne pourrait** dire : **j'enfuis, je souviens, je passe de, j'évanouis**. Sans leurs deux pronoms, ces verbes n'existent pas.

Le **participe** passé des **verbes essentiellement pronominaux** est très facile à accorder : il **s'accorde** comme un **adjectif** avec le **sujet**, comme lorsque l'auxiliaire est **être** (**qui est-ce qui** ou **qu'est-ce qui** + **V = S**).

Pour savoir s'il s'agit du participe passé d'un verbe **essentiellement pronominal**, il faut donc :

1. **Isoler** le verbe conjugué ;
2. **Essayer** de le conjuguer **sans** ses deux pronoms ;
3. S'il ne se conjugue **pas**, c'est qu'il est **essentiellement pronominal** ;
4. À ce moment, il **s'accorde** comme un **adjectif** avec le **sujet**, comme lorsque l'auxiliaire est **être**.

Truc du chef

Pour vous aider,
pensez à ce moyen :

Essentiellement = **Ê**tre (E = E)

⇦ **Elles se** sont évanou**ies**.

Évanouir = verbe conjugué ; elles évanouissent : ne se dit pas ; **essentiellement pronominal**, donc **être** (**E = E**).

Essentiellement = **Ê**tre, donc : accord avec le **sujet** *elles* : évanou**ies**.

⇦ **Ils se** sont souven**us** de toi.

Souvenir = verbe conjugué ; ils souviennent : ne se dit pas ; **essentiellement pronominal**, donc **être** (**E = E**).

Essentiellement = **Ê**tre, donc : accord avec le **sujet** *ils* : souven**us**.

Accidentellement pronominal. Quand le verbe **peut** se conjuguer sans ses deux pronoms, on en dit qu'il est **accidentellement pronominal**.

À ce moment, pour accorder le participe passé il faut **remplacer** le verbe **être** par le verbe **avoir** et poser les questions qui nous servent à trouver le **CDV** (**S + V + qui** ou **quoi = CDV**). L'accord se fait **si** ce **CDV** est placé **avant**.

↳ **Nous nous** sommes aim**és**.

Aimés : verbe conjugué ; on peut dire : **nous aimons** ;
Accidentellement pronominal, donc **avoir** (**A = A**) ;
il faut donc remplacer le verbe **être** par le verbe **avoir** ;
il faut poser la question **qui** ou **quoi** ; nous avons aimé **qui** ?
Nous ; l'accord se fait **avec** le **CDV** nous placé **avant** :
évanoui**es**.

Truc du chef

Pour vous aider,
pensez à ce moyen :

Accidentellement = **A**voir (**A = A**)

Souvenez-vous : s'il n'y a **pas de CDV** ou si le **CDV** est placé **après**, le participe passé **ne s'accorde pas**.

↳ **Elles se** sont lav**é** les cheveux.

Laver = verbe conjugué ; on peut dire : elles lavent ;
Accidentellement pronominal, donc **avoir** (**A = A**) ;
Elles ont lavé **quoi** ? **Les cheveux**, **CDV** placé **après**, donc
lav**é** ne peut s'accorder.

Attention, les participes des verbes pronominaux suivants sont **invariables** :

Se rire de : elles se sont r**i** de toi ;

Se complaire : ils s'étaient compl**u** dans leur malheur ;

Se rendre compte de : elle s'est rend**u** compte de son erreur.

La main à la pâte

Accordez, au besoin, les participes passés des phrases suivantes. Déterminez s'il s'agit de verbes **essentiellement pronominaux (e)** ou **accidentellement pronominaux (a)**.

1. Ils se seraient brossé_____ les dents avant le déjeuner, mais leurs cheveux, ils les auraient brossé_____ avant le dîner.

2. Elle s'était coupé_____ deux doigts en réparant ce tabouret.

3. Elle s'était coupé_____ aux doigts, en réparant ce tabouret.

4. Les enfants se sont tu_____ à l'arrivée des invités, mais ils se sont vite senti_____ à l'aise et se sont bien amusé_____ .

5. Ils se sont rendu_____ compte de leur erreur.

6. Touchés par la guerre, les gens s'étaient souvenu_____ avec tristesse des amis qu'ils avaient dû quitter.

7. Ils s'étaient évanoui_____ de douleur au moment de l'accident.

8. Les nouveaux mariés s'étaient embrassé_____ , heureux, devant tous leurs invités ; ils se sont ensuite enfui_____ en voyage de noces.

9. Elle s'était enfui_____ très vite de son domicile en flammes.

10. Les ours s'étaient privé_____ de nourriture tout l'hiver.

11. Certains pays en guerre s'étaient enfin rapproché_____ d'un accord, mais ils ne s'étaient pas encore entendu_____ sur tout.

12. Ces objets de valeur s'étaient vendu_____ rapidement.

13. Nous nous serions tous laissé_____ avec le sourire.

14. Ils se sont plu_____ dès le premier regard et se sont épousé_____ .

(corrigé, *Les mordus...*, page 12)

Vos Secrets...

Le participe passé des verbes **essentiellement** pronominaux s'accorde **avec** le *sujet*, comme s'il s'agissait de l'auxiliaire **être**.

Le truc : E = E

Le participe passé des verbes **accidentellement** pronominaux s'accorde **avec** le *CDV*, comme s'il s'agissait de l'auxiliaire **avoir**.

Le truc : A = A

Bébé-Noël

24 décembre 1991. Toc ! toc ! On cogne à ma porte.

« Vous êtes médecin ? Le vétérinaire est en vacances.
Je vous en prie, j'ai besoin d'aide, tout de suite… »

Quel drôle d'animal ! Quelle demande plutôt… bête ! J'ai l'impression qu'il étouffe
dans sa barbe si blanche qu'il semble encore plus rouge.

« C'est pour l'un de mes rennes… Hier, sans blague, il a mangé trop de farce.
Depuis, il ne cesse de se tordre et de gémir de rire. Moi derrière, dans le traîneau,
qui tiens les rênes, j'ai l'air d'une belle dinde. »

Je m'inquiète, me demande si un renne est plus difficile à traiter qu'un roi ou un sujet ?

Au moment où je m'approche, le renne se retourne, me regarde et cesse de rire.
Si subitement que j'en suis tombé malade !

Pour me remercier de lui avoir facilité la vie, le père Noël, mon nouvel ami,
m'a fait parvenir ce mois-ci, par poste polaire* je vous prie, la photo de son fils,
accompagnée de cette note : « Le seul problème avec lui,
c'est qu'il ne croit plus en moi ! »

*Livraison garantie pour traîner **plus** de 48 h

Francis Pelletier

Texte de Francis Pelletier, disponible en affiche littéraire (Les Pelleteurs de nuages)

Les *participes passés* : saveurs étranges

À vos marques, prêts, participez !

Le **participe passé** employé avec **l'auxiliaire avoir** et suivi d'un **infinitif** : **invariable**.

Cuisine nouvelle, régime minceur !

Nouveauté : vous pouvez maintenant laisser **invariables tous** les **participes passés** employés **avec avoir** et **suivis d'un infinitif**. Enfin, on allège le menu !

↞ Les plats que tu **as voulu préparer** étaient délicieux.

↞ Les femmes et les hommes que tu **as vu pleurer** étaient brisés par la guerre.

Voici quelques **exemples** de **participes passés suivis d'un infinitif** que vous laisserez **invariables** :

↞ Tous ces oiseaux que tu **as vu voler** allaient vers le sud.

↞ Les tableaux que Frank **a fait livrer** étaient peints à l'huile.

↞ Elle les **a fait tomber**, les petites statuettes.

↞ Tu m'**as avoué suivre** les sports avec bien moins d'intérêt.

↞ Ces bouquets, elle les **a laissé sécher**.

Pour les curieux : dans le bon vieux temps, c'est-à-dire avant 2004 (!), on **accordait** le participe passé employé avec avoir et suivi d'un verbe à l'infinitif **avec le CDV**, lorsque le **CDV faisait l'action exprimée** par le verbe à l'infinitif, si ce **CDV précédait** le participe passé (placé avant). Simple, non ?

↞ Les oiseaux que j'**ai entendus chanter** hier étaient des merles.

Si vous êtes de ceux et celles que la grammaire et ses couleurs emballent, voici quelques autres particularités dont vous goûterez la saveur. Elles sont cependant abordées sommairement pour vous mettre l'eau à la bouche !

Le **participe passé** employé **avec avoir** et précédé du **pronom impersonnel « L' » ne s'accorde pas** quand il signifie **cela**.

↞ L'amour et l'espoir sont bien plus puissants que je ne l'avais cr**u**.

 J'avais cru quoi ? Non pas l'amour et l'espoir, mais **cela**, c'est-à-dire le fait que l'amour et l'espoir sont puissants.

↞ La plaisanterie est plus contagieuse que tu ne l'avais imagin**é**.

 Tu avais imaginé quoi ? Non pas la plaisanterie, mais **cela**, c'est-à-dire le fait qu'elle était contagieuse.

- -

Attention, ne confondez pas avec cette autre forme :

↞ La fillette a pleuré quand je **l'ai posée** par terre.

 J'ai posé qui ? **L'**, mis pour la **fillette** ; accord avec le CDV *l'* placé **avant** et qui remplace le nom **fillette**.

Le **participe passé** employé **avec avoir** et précédé du **pronom « en » ne s'accorde pas** si **en** est le CDV, car ce **pronom** est **neutre**, c'est-à-dire qu'il n'est **ni masculin ni féminin**.

↞ Elle a récolté des tomates rouges et elle **en a dévoré** plusieurs.

 Elle a dévoré quoi ? **En**, mis pour **de cela**.

- -

Attention, ne confondez pas avec cette autre forme :

↞ Les nouvelles que j'**en ai eues** étaient bonnes.

 J'ai eu quoi ? **Des nouvelles**, CDV ; ici, **en** n'est pas CDV, mais **CIV**. Il y a donc accord avec *des nouvelles*, **CDV** : e**ues**.

Le **participe passé** employé **avec avoir** dont le **CDV** est une **proposition sous-entendue** ou un **infinitif sous-entendu** ne s'accorde pas.

↞ Il avait donné toutes les réponses qu'il avait **pu**.

Le participe passé **pu** ne s'accorde pas, car le **CDV** est **un infinitif sous-entendu**. On sous-entend : les réponses qu'il avait pu **donner**.

↞ Il n'avait pas obtenu les résultats qu'il avait **cru**.

Le participe passé **cru** ne s'accorde pas, car le **CDV** est un **infinitif sous-entendu**. On sous-entend : les résultats qu'il avait cru **obtenir**.

Le **participe passé** d'un **verbe impersonnel** employé **avec avoir** ne s'accorde pas. On appelle **verbe impersonnel** le verbe qui ne se conjugue qu'avec un pronom : **il**. Ce pronom est lui aussi **impersonnel**, c'est-à-dire qu'il ne remplace **aucune** personne, **aucune** réalité.

↞ Les arguments qu'**il a fallu** pour le convaincre étaient incalculables.

Le participe **fallu** demeure invariable, verbe **impersonnel**.

- -

Pleuvoir, **venter**, **neiger**, **falloir** sont des verbes **impersonnels**.

Les **participes passés** des verbes **coûté, valu, pesé, couru, parcouru, vécu**, etc. **ne s'accordent pas**, car les compléments de ces verbes **ne sont pas** des **CDV**, mais des **CC**.

↞ Ce grille-pain nous a très bien servi pour les *vingt dollars* **qu'il nous a coûté**.

Il nous a coûté **combien** est la question à poser (on ne peut dire : il nous a coûté **quoi ?**). **Vingt dollars**. La réponse est un **CC** et non un **CDV**. Donc, le participe **coûté** ne **s'accorde pas**.

↞ Les *cent kilomètres* qu'il **a parcouru**.

Il a parcouru **combien** est la question à poser (on ne peut dire il a parcouru **quoi ?**). **Cent kilomètres**. La réponse est un **CC** et non un **CDV**, donc le participe **parcouru ne s'accorde pas**.

Quand les **participes passés** sont les verbes : **excepté, passé, vu, non compris, étant donné, supposé, attendu, y compris, ci-joint, ci-inclus, ci-annexé**, etc. ils ne **s'accordent pas** s'ils sont placés **avant le nom**, mais ils **s'accordent** s'ils sont placés **après**.

↞ **Passé** *les délais prévus*, vous n'aurez plus de recours.

Le participe « **passé** » est placé **avant** le groupe du **nom** *les délais prévus*. Il **ne s'accorde pas**.

↞ *Les heures* **passées** à t'attendre m'ont rendue furibonde.

Le participe « **passées** » est placé **après** le groupe du **nom** *heures*. Il joue le rôle d'un **adjectif** et il **s'accorde**.

↞ Vous trouverez **ci-joint** *les documents* qui vous étaient destinés.

Le participe « **ci-joint** » est placé **avant** le groupe du **nom** *les documents*. Il **ne s'accorde pas**.

↞ *Les chemises* **ci-incluses** sont pour vos deux fillettes.

Le participe « **ci-incluses** » est placé **après** le groupe du **nom** *les chemises*. Il joue le rôle d'un **adjectif** et il **s'accorde**.

Résumons les *Trucs du chef*

⇐ **En** : les participes passés précédés de **en** ne s'accordent pas. *Tu adores les biographies, tu en as lu beaucoup.* **En = de cela. Invariable.**

⇐ **Il, pronom personnel** : les participes passés précédés du pronom impersonnel « il » ne s'accordent pas. *Les vents et les tempêtes qu'il y a eu ont balayé les rues et les trottoirs.* **Impersonnel, invariable.**

⇐ **Infinitif** : les participes passés **employés avec avoir** et suivis d'un infinitif ne s'accordent pas. *Tu les as vu grandir.* **Invariables.**

⇐ **Infinitif sous-entendu** : les participes passés dont le CDV est un infinitif sous-entendu ne s'accordent pas. *Avant notre départ, ils nous avaient fait toutes les recommandations qu'ils avaient pu.* **Infinitif sous-entendu** : « *nous faire* ». **Invariable.**

⇐ **L'** : les participes passés précédés de l' ne s'accordent pas quand ce « l' », signifie « de cela ». *Cette tâche est moins difficile que je ne l'avais imaginé.* **L' = cela. Invariable.**

⇐ **Les participes passés des verbes coûté, valu, pesé, couru, parcouru, vécu, etc. ne s'accordent pas, car les compléments de ces verbes ne sont pas des CDV, mais des CC. Invariable.**

Les participes **ci-annexé, ci-joint, étant donné, excepté, passé, vu, y compris, non compris** s'accordent selon ces règles :

En tête de phrase : <u>invariables</u>

- ↢ *Ci-annex**é*** les copies demandées.
- ↢ *Ci-join**t*** les documents que vous désiriez.
- ↢ *Étant donn**é*** leur retard, ils furent congédiés.
- ↢ *Except**é*** les filles, tous furent invités.
- ↢ *Pass**é*** ces délais, vous serez remboursés.
- ↢ *V**u*** les circonstances, ce cours n'aura pas lieu.
- ↢ *Y compri**s*** les enfants, tous sont acceptés.

Placés après le nom : <u>s'accordent</u>

- ↢ Les documents *ci-annex**és*** vous seront utiles.
- ↢ Les documents que vous trouverez *ci-join**ts*** sont intéressants.
- ↢ Les circonstances *étant donn**ées***, nous comprenons mieux.
- ↢ Ils furent tous admis, les filles *except**ées***.
- ↢ Ces délais *pass**és***, nous nous sommes réjouis.
- ↢ *V**ues*** du bateau, les étoiles filantes sont superbes.
  (S'accorde, ici, même s'il est en tête de phrase, car il est adjectif et ne signifie pas *étant donné*.)
- ↢ Tous sont invités, les filles *y compri**ses***.
- ↢ Vous paierez le tout, taxes *non compri**ses***.

ℒa main *à la pâte*

Faites les **accords** et les **corrections**, si nécessaire.

1. La peine qu'il a ressenti_____ était plus importante que je ne l'avais imaginé_____ .

2. Vous trouverez les copies ci-joint_____ dans les feuillets ci-annexé_____ .

3. De tes problèmes et des réalités que tu vivais, personne ne m'en a parlés_____ .

4. Ces joies, il aurait fallues_____ qu'il les vive plus tôt.

5. Tu m'as raconté tous ces événements dont tu avais pu_____ te souvenir.

6. Les 20 dollars que ces bricoles m'ont coûtés _____ me semblent, à présent, du vol.

7. Passés_____ ces jours sombres, tu t'étais senti_____ de nouveau en santé, Martine.

8. Les trois jours pendant lesquels ils ont dormis_____ les ont beaucoup reposé_____ .

9. Les jours attendu _____ dans la fébrilité rapportent de la joie, celle que nous avions espéré_____ , en fait.

10. Vous trouverez, ci-inclus_____ , les photos de mes deux filles et celle de mon époux.

11. Garde les dix dollars que ces objets t'ont coûté_____ .

12. Les garçons étaient tenu_____ à l'écart, les filles y compris_____ .

13. Cet ensemble vaut 270 dollars, taxes non compris_____ .

14. Les heures que tu as perdu_____ , tu ne les retrouveras pas.

15. Toutes sont venu_____ , mes filles excepté_____ .

16. Étant donné_____ les erreurs passé_____ , nous vous comprenons mieux.

17. Les circonstances de cet événement étant donné_____ , vous comprendrez mieux ce qui s'est passé_____ .

18. Les millions qu'il avait gagné_____ à la loterie, en deux ans, il en avait perdu_____ autant.

19. Je me rappelle avec émotion les 15 années pendant lesquelles j'ai vécu_____ en Abitibi.

20. Ces trois erreurs mis_____ à part, vous les avez très bien composé_____ ces quelque quarante lignes.

21. Les enfants indociles les avaient commis_____ . ces erreurs ; leurs parents les en avaient blâmé_____ .

22. Cette nuit, il est tombé_____ beaucoup de pluie.

(corrigé, *Les mordus...*, pages 12 et 13)

Au bord du canal

Assis sur le bord du canal / Je compte les voiles sur mes bras / Comme un abruti je grimace /
Dans l'eau dégueulasse / Qui ne me répond pas / Je joue de la flûte / Dans les joncs pourris /
Qui ont le même son / Que le son de ma vie / Je m'ennuie.

Assis sur le bord du canal / Je fais le total / De mes doigts / Je me raconte des mensonges /
Je me ronge les ongles / Et je fais craquer mes doigts / J'entends crisser les feuilles mortes /
Sous les redingotes / Des amoureux, dans le petit bois / Juste dans mon dos /
J'ai les yeux qui flottent dans l'eau.

Bon Dieu, que les journées sont longues / Quand on est tout seul /
Bon sang que les soirées sont fraîches / Quand on est tout seul.

Assis sur le bord du canal / Je compte les vagues en secret / Et comme un parfait inutile /
J'épile une branche et m'en fais un archet / Je mets en bouteille des lettres d'amour /
Qui vont, qui viennent / Mais qui restent là toujours / Je m'ennuie, je m'ennuie.

Assis sur le bord du canal / J'attends un signal / Comme un cri / Qui me viendrait de l'autre rive /
Et qui dirait : « Arrive ! je m'ennuie aussi » / Je rêve que j'irais à la nage / J'irais à l'abordage /
Sans faire un détour / Pour un peu d'amour / Je vendrais la Doure / J'attends, j'allume mon fanal.

Bon Dieu, que les journées sont longues / Quand on est tout seul /
Bon sang que les soirées sont fraîches / Quand on est tout seul /
Assis sur le bord du canal / Je compte les voiles sur mes bras.

Jean-Pierre Ferland

Texte d'une chanson de Jean-Pierre Ferland

10
À table
Exercices touchant les
neuf premiers ateliers

*Vous êtes **enfin** professeur, **corrigez** s'il y a lieu !*

La main à la pâte

Dans les exercices suivants, **corrigez**, s'il y a lieu, les verbes pronominaux. **Vérifiez les accords** des déterminants avec les noms et des noms avec les adjectifs. De même, **accordez les verbes** avec les sujets et **faites les accords** nécessaires des participes passés avec être et avoir et des participes passés sans auxiliaire. **Repérez les homophones**. Soyez vigilants, la grammaire vous a à l'œil, ayez-la à l'esprit ! N'hésitez pas à revoir vos règles et vos trucs. Vous avez tout pour réussir. **Utilisez les flèches**, elles ne servent pas qu'en temps de guerre !

1. La sympathie qu'ils se sont témoigné_____ est réel_____ .

2. Les futur_____ joueuse_____ étai_____ arrivé_____ tôt le matin, car elles s'étai_____ promis_____ de se préparer.

3. Les boulevard_____ sont envahi_____ par des gens venu_____ de partout dans la vallée.

4. La bourrasque est venu_____ nous dérange_____ et elle a emporté_____ tous les drap_____ étendu_____ sur les corde_____ a_____ linge.

5. Elle s'est gelé_____ en sortant sans chapeau.

6. A_____ dix-huit heure_____ , j'avais le cœur rempli_____ d'émotion_____ , car les tracas et la fatigue accumulé_____ avai_____ eu raison de moi.

7. Tu t'es rappel_____ cette voix solennelle que tu avais entendu_____ a_____ mainte_____ reprise_____ .

8. Ils se serai_____ volontiers retiré_____ de se_____ match s'ils avai_____ pu_____ .

9. Gisèle et Denise, lors de vos vacances d'été, vous vous êtes arrondi_____ , mes chère_____ petite_____ ami_____ , et cela vous va très bien.

10. Les pluie_____ diluvienne_____ se sont abattu_____ sur la ville endormi_____ et cela a_____ duré_____ deux jour_____ entier_____ .

11. Vous tous qui m'entende_____ : place_____ les châles dans les malle_____ bleu_____ et rapporte_____-les au public immédiatement.

12. La foi n'est plus se_____ qu'elle étai_____ , car les citoyen_____ ordinaire_____ ne croi_____ plus de la même manière.

13. Nous les avons reçu_____ , les plinthes de chauffage neuve_____ commandé_____ au magasin du coin.

14. Tu appelles les mécanicien_____ dès que tu les auras imprimé_____ , tes longue_____ feuille_____ de route.

15. Ils se sont plaint_____ devant les haricots, les poireaux et les échalotes retrouvé_____ au fond de leur assiette vert_____ .

16. Il faut que j'enlève les sangsue_____ qui se_____ sont collé_____ a_____ sa jambe, et j'avoue que cela me donne mal au cœur.

17. Les aurais-tu admiré_____ , ses_____ jeune_____ pousse_____ verte_____ née_____ avec le printemps ?

18. Les as-tu développé_____ , ses_____ technique_____ nouvelle_____ apprise_____ lors des cours de menuiserie donné_____ par ce professeur ?

19. Les œuf_____ cuit_____ où_____ poché_____ sont bon_____ pour la santé, mais il ne faut pas en abuse_____ .

20. Les participants se serai_____ retiré_____ si on_____

leur avai_____ donné_____ la permission de quitte_____

ses_____ lieu_____ sombre_____ .

21. Si nous vous avions parle_____ , vous aurie_____ sans

doutes_____ compris.

22. Les martyr_____ canadiens nous ont été présenté_____

dans les livre_____ de la troisièmes_____ années_____ .

23. Les erreur_____ diagnostics_____ sont monnaie courante

chez les nouveau_____ médecin_____trop occupé_____ .

24. Les diagnostiques_____ vous seron_____ remis dès

huit heure_____ .

25. J'aime les amande_____ , rôti_____ ou salé_____ , mais je

n'aime pas les amende_____ des policier_____ zélé_____ .

(corrigé, *Les mordus...*, pages 13 et 14)

Vos Secrets...

atelier

11

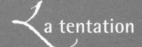a tentation

Kevin revint à la chambre. Il ferma la porte derrière lui et s'approcha du lit.
Alice était couchée sur le côté, un poing ramené sous le menton. Son visage portait encore
les marques de l'affrontement de la veille. Une moue d'enfant boudeur mettait en évidence
ses lèvres charnues et roses, et bientôt Kevin ne vit plus qu'elles. Ses lèvres, et ses longs cils
déposés sur ses joues comme les ailes d'un oiseau sur la neige. Dans son désir pour cette bouche
grondait son envie d'embrasser le monde entier. Ces lèvres constituaient le portail conduisant
au-delà des montagnes de Swan Valley, vers l'impiété, vers la vie adulte. Et la tentation fut si forte
qu'il n'arriva pas à se contenir, il avança la tête. Alice Hubbard ouvrit les oreilles avant les yeux,
comme à son habitude, et ce qu'elle entendit était probablement
le cœur de Kevin Perowski.

Stéphane Bourguignon

Extrait du livre de Stéphane Bourguigon : *Sonde ton cœur, Laurie Rivers*
(Éditions Québec Amérique) 2006, p. 140

Autres difficultés et autres trucs du chef pour les surmonter

Leur et le verbe

Leur, placé **devant un verbe**, est un **pronom**. Il **ne peut** donc **s'accorder**, même si, à votre esprit, il semble y en avoir plusieurs.

↤ Je **leur** ai parlé mille fois de tous ces sujets.

Leur est placé **devant le verbe** « ai parlé ». Il demeure donc **invariable**.

↤ Nous **leur** avons dit et nous **leur** avons répété que **leur**, **devant** un verbe, ne prend **jamais** la marque du pluriel.

Leur est placé **devant** les verbes « avons dit » et « avons répété ». Il demeure donc **invariable**.

↤ « Il faudra **leur** dire », chantait Francis Cabrel, vers 1980.

Leur est placé **devant le verbe** « dire ». Il demeure donc **invariable**.

Leur ou leurs, devant le nom ?

Leur, devant un nom, joue le rôle d'un **déterminant possessif**. Il **peut s'accorder**.

Mais attention ! Il ne **s'accordera** avec le nom et le ou les adjectifs qui accompagnent ce nom que **si chacun** des possesseurs peut avoir **plusieurs** objets, éléments en sa possession.

N'oubliez pas que s'il est au **pluriel**, tous les mots qu'il accompagne **seront** également au **pluriel**. S'il est au **singulier**, tous les mots qu'il accompagne **seront** au **singulier**.

↤ Ces dix hommes souffraient, **leurs** main**s** étai**ent** gel**ées**.

Chacun des dix hommes a deux mains (on l'espère, du moins !). **Leurs** est donc au **pluriel** et donne l'ordre à « main**s** », « étai**ent** » et « gel**ées** » d'être aussi au **pluriel**.

↵ Ce sont **leur** manteau ble**u** que vous avez trouvé sur ces chaises.

Chacun n'a qu'un seul manteau (à la fois, du moins !). **Leur** est donc au **singulier** et donne l'ordre à « manteau » et à « ble**u** » d'être également au **singulier**.

↵ Ils nous ont raconté **leurs** émotion**s** vive**s** avec **leur** gran**d** sourire.

Chacun peut vivre plus d'une émotion à la fois. **Leur** est donc au **pluriel** et donne l'ordre à « émotion**s** » et à « vive**s** » d'être au **pluriel**. Ils n'ont qu'un seul sourire chacun. **Leur**, gran**d** et sourir**e** restent au **singulier**.

↵ Ils ne voulaient pas accorder d'importance à **leur** jalousi**e** extrême ni à **leur** foli**e** passagèr**e**.

Chacun ne peut ressentir que de la jalousie (et non des jalousies). **Leur** est au singulier et donne l'ordre à « jalousi**e** » et à « extrême » d'être également au **singulier**; il en va de même pour **leur** « foli**e** » et « passagèr**e** »: au **singulier**.

↵ Ce sont **leurs** joue**s** rose**s** et **leur** petit nez refroid**i** que vous avez admiré**s** chez ces bambins qui jouaient dehors.

Chacun des bambins a deux joues. **Leur** est donc au **pluriel** et donne l'ordre à « joue**s** » et à « rose**s** » d'être également au **pluriel**.

Par ailleurs, chacun des bambins n'a qu'un nez. **Leur** est donc au **singulier** et donne l'ordre à « ne**z** » et « refroid**i** » d'être également au **singulier**.

↵ Ils nous ont raconté **leurs** émotion**s** vive**s** avec de grands sourires.

Chacun peut vivre plus d'une émotion à la fois. **Leur** est donc au **pluriel** et donne l'ordre à « émotion**s** » et à « vive**s** » d'être également au **pluriel**.

↵ Ils ont donné **leur** vie pour **leur** patrie et nous **leur** en sommes reconnaissants.

Chacun n'a qu'une vie. **Leur** est donc au **singulier** et donne l'ordre à « vi**e** » d'être également au **singulier**; chacun n'a qu'une patrie. **Leur** est donc au **singulier** et donne l'ordre à « patri**e** » d'être également au **singulier**.

Enfin, le dernier **leur** précède un **verbe** (être = nous **leur** en « sommes »). Il demeure donc **invariable**.

Truc du chef

Essayez **sa** ou **son** = **leur** demeure **singulier**; **ses** = **leurs** devient **pluriel** (ainsi que les noms, les verbes et les adjectifs associés).

La main à la pâte

Dans les phrases suivantes, accordez, s'il y a lieu, les **leur** que vous rencontrerez et les **noms** et **adjectifs** qui les accompagnent. N'oubliez pas : **devant** un **verbe**, **leur** est **pronom** et demeure **invariable**. **Devant** un **nom**, il peut varier s'il est possible que chacun possède plus d'une fois ce dont il est question.

1. Ils leur_____ parlent toujours trop longtemps, elles n'écoutent plus leur_____ propos au bout de dix minutes.

2. Ils avaient perdu leur_____ première_____ bataille_____ et leur_____ découragement_____ se lisait dans leur_____ yeux bleu_____ .

3. Ces deux écrivains dont vous parlez, avez-vous lu leur_____ dernier_____ livre_____ ?

4. Elles leur_____ ont parlé de leur_____ naissance_____ difficile_____ , de leur_____ vie_____ plus simple_____ et de leur_____ beau_____ jour_____ de vieillesse.

5. Cette histoire si tendre, nous la leur_____ avions racontée plus d'une fois et chaque fois leur_____ sourire_____ épanoui_____ nous montrait leur_____ bonheur_____ de la réentendre.

6. En me parlant de ses enfants, grand-mère me racontait que leur_____ maison_____ était si petite qu'elle n'arrivait pas à leur_____ donner leur_____ petit_____ lit_____ douillet_____ .

7. Ils avaient mis tous leur_____ espoir_____ dans ce projet, ce qui leur_____ fut bénéfique.

8. Ce sont leur_____ souvenir_____ qu'ils ont laissés dans ce pays.

9. Ce n'est absolument pas leur_____ faute_____ s'ils sont arrivés en retard ; leur_____ autobus s'est enlisé dans de la boue, près de leur_____ lieu_____ de travail.

10. Leur_____ dictée_____ de fin de session était leur_____ plus

grand_____ cauchemar, ils passaient leur_____ nuit_____ à

en rêver.

11. Si vous leur_____ expliquez bien la règle des « leur », ils

montreront leur_____ grande_____ joie_____ à écrire des

phrases sans fautes.

12. Les enfants viennent de rentrer et, à les voir, c'est sûr qu'ils

ont joué : leur_____ main_____ sont sale_____ , leur_____

petit___ cou est noirci_____ de terre et leur_____ pied_____

sont tout aussi noir_____ de boue.

13. Leur_____ expression_____ blafarde_____ exprimait

leur_____ déception_____ profonde et surtout

leur_____ grande_____ peine_____ .

14. Elles leur_____ ont rappelé ces célèbres phrases du poète.

15. Ils nous ont raconté leur_____ joie_____ , nous

leur_____ avons raconté les nôtres ; ils nous ont tous

confirmé leur_____ appréciation_____ de ces travaux que

nous leur_____ avions donnés.

(corrigé, *Les mordus...*, pages 14 et 15)

De (drôles de pluriels)

Certains accords vous sembleront plus faciles à faire que d'autres. Par exemple, si l'on vous dit : « **Des** pantalon**s** rouge**s** », vous savez que le déterminant **des** exige l'accord **pluriel** du nom **pantalons** et de l'adjectif **rouges**.

De, lorsqu'il accompagne un nom dont on **peut calculer** la **quantité**, le **nombre**, est un **déterminant** et exige un accord **pluriel**. On peut alors remplacer ce « **de** » par « **des** » et la phrase garde son sens.

Ainsi, si l'on parle **de** fruit**s**, vous savez que l'on **peut compter** ces fruits. Le nom fruit**s** sera donc au **pluriel**.

↞ J'ai apporté un panier **de** pomme**s** rouge**s** et mûre**s** à la maison.

On **peut compter** les pommes en **quantité**, en **nombre**. On accorde pomme**s** au **pluriel**, de même que les adjectifs rouge**s** et mûre**s** qui accompagnent le nom *pommes*.

↞ J'ai participé à une session d'analyse **de** rêve**s**.

Nous pouvons dire : j'ai participé à une session où l'on faisait l'analyse **des** rêves. Rêve**s** est donc au **pluriel**.

↞ Ma chatte Virgule et mon chat Sardine ont eu **de** beau**x** petit**s** chaton**s** jaune**s** et noir**s**.

On **peut compter** les chatons en **quantité**, en **nombre**. On accorde donc chaton**s** au **pluriel** de même que les adjectifs beau**x**, petit**s**, jaune**s** et noir**s** qui accompagnent le nom *chatons*.

↞ **De** dur**s** labeur**s** sont nécessaire**s** pour chaque apprentissage.

On peut compter les labeurs en quantité. On accorde labeur**s** au **pluriel** de même que les adjectifs dur**s** et nécessaire**s** qui accompagnent le nom *labeurs*.

De, lorsqu'il accompagne un nom dont on **ne peut calculer** la **quantité**, le **nombre**, exige un accord **singulier**. On **peut** alors remplacer ce « **de** » par « **de la** » ou « **du** » et la phrase garde son sens. On peut également le remplacer par « **en** », qui indique la **matière**.

↞ J'ai mis mon manteau **de** fourrure.

Nous **ne pouvons dire** mon manteau **des** fourrures ; il s'agit **de la** fourrure. Mon manteau **en** fourrure, donc : **singulier**.

↶ Tu as acheté deux litres **de** pétrole.

Nous **ne pouvons dire** deux litres **des** pétroles. Il s'agit **du** pétrole, donc pétrol**e** demeure **singulier**.

↶ J'ai beaucoup **de** plaisir à écouter chanter les enfants.

Nous **ne pouvons** dire **des** plaisirs. Il s'agit **du** plaisir, donc plaisi**r** demeure **singulier**.

Dans les phrases suivantes, accordez, s'il y a lieu, les **noms** et les **adjectifs** qui suivent le déterminant « **de** ».

1. J'ai mis de beau_____ vêtement_____ neuf_____ à l'occasion du mariage de ma sœur.

2. Elle a parlé de chose_____ extrêmement sérieuse_____ lors de cette réunion de professeur_____ et d'élève_____ .

3. Le livre du record de naissance_____ est maintenant publié, mais ce n'est pas le Québec qui l'emporte !

4. De large_____ trait_____ coloré_____ , tracé_____ sur son thorax, montraient à quel point il aimait certaines sortes de tatouage_____ .

5. Il ne faut pas commettre de bévue_____ lors d'entretien_____ avec ce drôle de personnage_____ .

6. Des ventes de meuble____ ancien____ , de coutellerie____

   fine____ et de morceau____ de toute____ sorte____

   nous ont permis de beau____ achat____ à prix vraiment

   réduit.

7. De drôle____ d'aventure____ nous étaient arrivées lors

   de cette promenade avec de jeune____ enfant____ .

8. Il faut, chaque jour, beaucoup de patience____ pour aimer.

9. De large____ sourire____ se dessinaient sur de pauvre____

   petit____ visage____ dès que l'on apportait de la nourriture.

10. Ce sont toujours de beau____ et de riche____

    moment____ , nos rencontres quotidiennes.

(corrigé, *Les mordus...* , page 15)

Sans (drôles de pluriels)

La règle qui prévaut pour **sans** est presque la même que pour **de**. Il faut y aller selon la logique de la phrase : **sans** indique qu'**il n'y en a pas.**

← Elle est venue **sans** manteau noir et **sans** gants rouges.

Pour accorder manteau au **singulier** et gants au **pluriel**, il est bon de se demander : **si elle en avait eu**, aurait-elle pu en **avoir plusieurs** ?

Ici, la réponse est simple : on ne peut avoir qu'un manteau à la fois. Manteau demeure donc **singulier** de même que l'adjectif noir. Cependant, on peut avoir plus d'un gant (c'est même souhaitable !). Gants devient donc **pluriel** de même que l'adjectif rouges.

La main à la pâte

Dans les phrases suivantes, accordez, s'il y a lieu, les **noms** et les **adjectifs** qui suivent la préposition « **sans** ».

1. Il vous faut faire cette dictée sans faute_____ .

2. La vie paraît plus belle sous un ciel sans nuage_____

   noir_____ .

3. Dehors, au grand vent, il était toujours sans foulard_____ .

4. Il était sans gant_____ , sans chapeau_____ ,

   sans manteau_____ .

5. C'était une personne sans gentillesse_____ ,

   sans amabilité_____ et sans ami_____ véritable_____ .

6. Ce n'est pas sans gêne_____ qu'il s'est présenté à son

   rendez-vous avec plus de quarante minutes de retard.

7. Tu peux réparer l'établi sans outil_____ neuf_____ ?

8. On nous a toujours dit que la vie sans erreur_____ était

   impossible, car nous ne sommes pas sans imperfection_____ .

9. Ils sont partis sans automobile_____ , ils attendaient

   l'autobus.

10. C'est sans pleur_____ qu'ils ont quitté ce pays

    sans avenir_____ .

11. Sans joie_____ , on ne peut vivre, sans amour_____

    non plus.

12. C'est sans impatience_____ que j'ai attendu mon tour.

13. Sans neige_____ et sans vent_____ , l'hiver serait

    plus facile.

(corrigé, *Les mordus...* , page 16)

Défi : trouvez des réponses à ces questions
ou créez vos propres questions...

Si

Si on tombe en amour... peut-on se relever seul ? **Si** on aime à
en mourir... ça prend combien de temps ? **Si** on se fait piquer
sa femme, par un flic... à qui se plaint-on ? **Si** on mange une
claque... la pointure est-elle importante ? **Si** ça coûte les yeux de
la tête... vaut-il mieux ne pas regarder ? **Si** on veut un nouveau
visage... faut-il perdre la face ? **Si** on parle du nez... est-ce
qu'on sent de la bouche ? **Si** on a une tête vide... est-elle plus
facile à remplir ? **Si** on a une maîtresse... a-t-on plus de classe ?
Si on compte sur nous... c'est jusqu'à combien ? **Si** on cède
aux avances... perd-on de l'intérêt ?

Si on a un rendez-vous avec la mort... peut-on le remettre ?
Si on monte au ciel... croise-t-on ceux qui descendent en
enfer ? **Si** on vire fou... c'est dans quel sens ? **Si** on rit jaune...
on pleure de quelle couleur ?

Francis Pelletier

Extrait de l'affichette *Si* (Les Pelleteurs de nuages)

12

Jenny

Tes p'tits mots doux oubliés au fond d'mes boîtes à lunch, pour me donner l'espoir, c'est mieux qu'la bible.
Tes soupers après mes journées dures et ennuyantes, pour que j'm'endorme toujours en homme libre.

Ton cœur toujours là à m'attendre, indulgent comme une mère de tueur. Oh ! Jenny ! ma lueur.

J'pas trop fort en affaires comme ceux qui volent avec leurs plumes, je n'ai que ma sueur
pour toute fortune. J'te donnerai tout c'que j'ai mais faudrait encore une fois m'en aller l'emprunter.

J'n'ai-tu braillé du noir à tout'vouloir lâcher comme si j'étais dans un concours de courage. Nos seules
vacances c'était quand on allait s'coucher, mais laisse-moi t'dire, ta peau c'est mieux qu'une plage.

Et chaque nuit j'vas tenter ma chance parmi un grand mariage d'oiseaux. Oh ! Jenny ! mon ange.

Quand j'vois que'que chose de beau à chaque fois j'pense à toi. À mes yeux t'es la soeur d'la beauté.
J'te donnerais tout c'que j'ai mais ça tiendrait dans un p'tit casseau. Tout c'que j'ai, c'est moi.

J'essaie de faire en sorte que quand tu penses à moi, tu t'dises que t'aurais pas pu trouver mieux.
C'te christie d'vie je l'ai d'travers. C'est ben ça l'mystère. Comment t'as fait' pour me rendre heureux ?
À soir mon beau camion vient te livrer un merci grand comme la mer. Oh ! Jenny ! comme la mer.

Si comme disent les craqués j'vas r'venir un jour sur terre, je s'rai un chèque en blanc à ton nom.
J'te donnerais tout c'que j'ai mais c'pas sérieux parce qu'au fond,
Tout c'que j'ai, c'est toi.

Richard Desjardins

Chanson de Richard Desjardins / Auteurs : Richard Desjardins et Francis Grandmont

Quelques secrets pour se retrouver dans tout ça

Les quelques ! Que de difficultés ils peuvent représenter, se prononçant **presque toujours** de la même façon et ne s'écrivant presque jamais de la même façon ! Nous allons, ensemble, essayer de les dédramatiser. Nous ne verrons que les principaux. Pour plus de détails et de raffinement grammatical, consultez votre grammaire.

Quelque + nom

Devant un **nom**, il est **déterminant** (adjectif). **Il s'accorde** donc **avec** ce **nom**.

⬑ Les **quelques** enfant**s** que j'ai vus étaient fort beaux.

Vous observez que **quelques** est placé **devant** le nom *enfants*. On suppose qu'il y en a plus d'un, puisqu'on a choisi d'écrire **quelques**. On met donc **quelques** au **pluriel**, comme *enfants*.

⬑ Les **quelques** fleur**s** que tu as semées ont poussé fort rapidement.

Quelques est **pluriel**, comme le nom *fleurs* devant lequel il se trouve.

⬑ Les routes sont parsemées de **quelques** caillou**x** qui me rappellent **quelques** histoire**s** de mon enfance.

Quelques est **pluriel**, comme le nom *cailloux* devant lequel il se trouve ; il en va de même pour **quelques** *histoires* : **quelques** est **pluriel**, comme le nom *histoires* devant lequel il se trouve.

Par ailleurs, il **arrive** que l'on emploie **quelque** devant un **nom** et que les **deux** demeurent **singuliers**. Il est encore **déterminant**, mais il a le sens de « **un certain** », de « **un peu** ».

↞ Il avait **quelque** pein**e** à le suivre.

On peut dire **une certaine** peine à le suivre. On ne peut la compter. **Quelque**, bien qu'il accompagne un nom, demeure alors **singulier**.

↞ Cette phrase si triste est de **quelque** poèt**e** des temps anciens.

La phrase est d'**un certain** poète et non **de plusieurs**.

Quelque + chiffre

Devant un **chiffre (déterminant numéral)**, le mot **quelque** est **adverbe** et, comme vous le savez, les **adverbes** sont **invariables**. Vous pouvez le remplacer par **environ**.

↞ J'ai vu pleurer **quelque cent** personnes lors de ce spectacle.

Quelque est **adverbe** : **devant un chiffre**, donc **invariable**. On pourrait dire : j'ai vu pleurer **environ** cent personnes.

↞ Les **quelque deux** cents dollars que tu m'as donné m'ont beaucoup aidé et je t'en remercie.

Quelque est **adverbe** : **devant un chiffre**, donc **invariable**. On pourrait dire : tu m'as donné **environ** deux cents dollars.

↞ Tous les soirs, je fais **quelque cent** pas de danse, car c'est bon pour ma santé.

Quelque est **adverbe** : **devant un chiffre**, donc **invariable**. On pourrait dire : je fais **environ** cent pas de danse.

Quel que + verbe d'état (voir p.12)

Placé immédiatement **devant** le verbe **être**, au **subjonctif**, **quel que** s'écrit en **deux mots** et **s'accorde** avec le **sujet** de ce verbe, et ce, en **genre** et en **nombre**, comme un **adjectif**.

↞ **Quelles qu'**en **soient** les causes, je comprends cette erreur.

On reconnaît ici le verbe **être**, au **subjonctif**; on cherche son sujet: qui est-ce qui soient? Les **causes**: **féminin pluriel**, donc on accorde quel**les qu'** avec **causes**, au féminin pluriel.

↞ **Quelles que soient** vos idées et vos opinions, si vous savez les expliquer, il se peut que j'y adhère.

On reconnaît ici le verbe **être**, au **subjonctif**; on cherche son sujet : qui est-ce qui soient ? Les **idées** et les **opinions** : **féminin pluriel**, donc on accorde quel**les que** avec **idées** et **opinions**, au féminin pluriel.

Les tout-tous. Hélas! ils ne sont pas en peluche! Cependant, ils sont aussi faciles à connaître et à accorder que les quelques **quelque** que vous venez de voir ! Ici encore, nous n'aborderons que les principaux. Pour plus de détails et de raffinement grammatical, consultez votre grammaire.

Tout + nom

Devant un **nom**, il est **déterminant** (adjectif). **Il s'accorde** donc avec ce **nom**, en **genre** et en **nombre** : tout, tous, toute, toutes.

On emploiera **tout** devant un **nom masculin singulier** (**tout** le jour). On emploiera **tous** devant un **nom masculin pluriel** (**tous** les jours).

De même, mais là c'est beaucoup plus facile parce que vous entendez la finale, on dira **toute** au **féminin singulier** (**toute** la journée) et **toutes** au **féminin pluriel** (**toutes** les journées).

↞ Pendant **tout** le jour, il peine au travail.

Tout est placé devant le nom *jour*, masculin singulier ; on écrit donc **tout** au **masculin singulier**, comme le nom *jour*.

↞ Ce sont **tous** ces travau**x** qui l'ont aidé à réussir.

Tous est placé devant le nom *travaux*, masculin pluriel ; on écrit donc **tous** au **masculin pluriel**, comme le nom *travaux*.

↞ Elles ont parlé **toute** la journé**e** de cette belle expérience.

Toute est placé devant le nom *journée*, féminin singulier ; on écrit donc **toute** au **féminin singulier**, comme le nom *journée*.

↞ Ils ont calculé **toutes** les heure**s** de loisir, et ils en étaient fiers.

Toutes est placé devant le nom *heures*, féminin pluriel ; on écrit donc **toutes** au **féminin pluriel**, comme le nom *heures*.

↞ Si, **tous** les soirs, je travaillais un peu, je serais certaine de réussir.

Tous est placé devant le nom *soirs*, masculin pluriel ; on écrit donc **tous** au **masculin pluriel**, comme le nom *soirs*.

↞ **Toute** la misè**re** du monde se lisait dans leurs yeux.

Toute est placé devant le nom *misère*, féminin singulier ; on écrit donc **toute** au **féminin singulier**, comme le nom *misère*.

Tout + adjectif

Tout, **devant** un **adjectif**, est **adverbe**. Il est donc **invariable**. Il signifie **entièrement, tout à fait**.

↞ Ils étaient **tout** épanouis et **tout** contents.

↞ Elles étaient **tout** enthousiastes, ce projet leur plaisait.

↞ Elles étaient **tout** heureuses de ce dénouement.

↞ Elles étaient **tout** amoureuses et leurs yeux en brillaient de joie.

Tout, placé devant un **adjectif** est **adverbe** et **invariable**.

Cependant, **tout**, placé **devant** un **adjectif féminin commençant** par une **consonne, doit** être **accordé** pour des raisons d'euphonie (harmonie sonore).

↞ La petite fille était **toute c**ontente.

Contente : adjectif féminin commençant par la consonne **C**. Donc, accord de l'adverbe : tout**e**.

↞ **Toutes** gracieuses, elles dansaient sous le vent.

Gracieuses : adjectif féminin, commençant par la consonne **G**, donc accord de l'adverbe : tout**es**.

Tout, accompagnant un **adjectif féminin commençant** par un **h aspiré**, devra également être **accordé**, car ce **h** à une valeur de **consonne**. Le **h muet**, quant à lui, a une valeur de **voyelle**.

⬸ **Toutes** hâlées, elles arrivaient de leurs vacances.

⬸ **Toutes** honteuses, elles baissaient la tête sans rien dire.

Truc du chef

Pour savoir si le **h** est **aspiré** (valeur de consonne) ou **muet** (valeur de voyelle), essayez ce truc :

⬸ Le hâle : **on peut** prononcer le déterminant « **le** », donc h aspiré, qui a une valeur de consonne ;

⬸ La honte : **on peut** prononcer le déterminant « **la** », donc h aspiré, qui a une valeur de consonne ;

⬸ La heureuse : **on ne peut** prononcer le déterminant « **la** », il faut mettre une apostrophe et enlever le « a » donc h muet, valeur de voyelle.

⬸ Elles étaient **tout** ahuries devant ce spectacle étrange.

Tout est placé devant un **adjectif** (ahuries); il est donc **adverbe** et **invariable** (on pourrait le remplacer par **entièrement**).

⬸ Ils étaient **tout** ravis de ton invitation.

Tout est placé devant un **adjectif** (ravis); il est donc **adverbe** et **invariable** (on pourrait le remplacer par **entièrement**).

⬸ Elles étaient **tout** hésitantes.

Tout est placé devant un **adjectif** commençant par un **h muet** (hésitantes); il est donc **adverbe** et **invariable** (on pourrait le remplacer par **entièrement**).

⬸ Ils étaient **tout** contents de leur partie de hockey.

Tout est placé devant un **adjectif** (contents); il est donc **adverbe** et **invariable** (on pourrait le remplacer par **entièrement**).

⬸ Elles semblaient **tout** amoureuses depuis plusieurs jours.

Tout est placé devant un **adjectif** (amoureuses); il est donc **adverbe** et **invariable** (on pourrait le remplacer par **entièrement**).

↟ Elles étaient **toutes** conster**n**ées lorsqu'elles ont appris cette nouvelle.

Tout est placé devant un **adjectif féminin commençant** par la consonne **C** (conster**n**ées); il demeure **adverbe**, mais **devient variable** pour des raisons d'harmonie sonore (l'euphonie).

↟ Elles étaient **tout h**eureuses du dénouement de la crise.

Tout est placé devant un **adjectif féminin commençant** par un **h muet** (**h**eureus**es**); il est donc **adverbe** et **invariable**.

↟ Elles étaient **toutes h**onteus**es** de cette défaite.

Tout est placé devant un **adjectif féminin commençant** par un **h aspiré** (**h**onteus**es**); il est donc **adverbe**, mais devient **variable** pour des raisons d'harmonie sonore (l'euphonie).

Tout pronom

Tout peut également être **pronom**: **tous, toutes, tout.** Il est alors accompagné d'un **verbe** et remplace un **mot** ou un groupe de mots.

↟ **Tous** sont ven**us** (masculin pluriel).

↟ **Toutes** sont reparti**es** (féminin pluriel).

Attention! **tout** demeure singulier dans sa forme neutre.

↟ Ils voient et entendent **tout** ce que l'on dit.

Tout nom commun

Il est précédé d'un **déterminant** et peut prendre la marque du **pluriel** : le **tout**, les **touts** et leurs parties.

La main à la pâte

Vous aurez ici à **corriger** des phrases employées avec des « **quelque** », des « **quel que** » et des « **tout** ».

1. Tou_____ la journée, elle se plaignait de maux de dos insupportables, quel_____ que soient les positions qu'elle adoptait.

2. Tou_____ ceux que tu as rencontrés étaient de ton avis : tou_____ ces votes étaient truqués.

3. Tou_____ vos rêves seront réalisés, si vous y croyez.

4. Les quelque_____ enfant_____ que tu as connus ont tou_____ un petit air triste, quel_____ que soient les jours.

5. Tu reviens dans une semaine, et j'ai encore quelque_____ jour_____ à t'attendre.

6. J'ai rangé tou_____ tes habits et quelque_____ objet_____ .

7. La vie est tout_____ belle, quel_____ que soient nos épreuves, et il faut l'apprécier tou_____ les jours, au moins quelque_____ instant_____ .

8. Cela me fait quelque_____ plaisir que tu viennes et que tu apportes tou_____ les gâteries de la soirée.

9. Tout_____ ces phrases, vous pouvez les écrire, maintenant.

10. Précédés d'un déterminant, les tout_____ sont des noms.

11. Le courrier arrive tou_____ les jours à la même heure, quel_____ que soit la température.

12. « Tou_____ étonnés de nos cœurs », chantait Frida Boccara de sa voix tout_____ grave, mais tout_____ ces vieilles chansons vous ne les connaissez pas, sauf peut-être, parfois, quelque_____refrain_____ .

13. Quelque_____ jour_____ , c'est bien long lorsqu'on s'ennuie.

14. Quelque_____-uns sont tou_____ prêts à donner leur vie

et quelque_____ autre_____ à la prendre.

15. Tou_____ ces cours de judo que vous avez suivis vous ont

coûté quelque_____ deux-cents dollars, mais vous vous en

êtes sorties tou_____ heureuses, chères dames !

16. « Je t'aimerai tout_____ ma vie », c'est toujours tou_____

ce que l'on peut dire, lors de quelque_____ moment_____

d'extase ; hélas ! ces moments ne durent que quelque_____

deux à trois mois !

17. Tou_____ ces hommes étaient entraînés à tout_____

sorte_____ de combats, quelque_____ femme_____

l'étaient également et elles n'étaient pas, contrairement à

ce que vous pourriez croire, tou_____ soumise_____ .

18. Quelque_____ problèmes m'ont retenu chez moi.

19. Une période tout_____ difficile nous oblige à délaisser

quelque_____ projet_____ auxquels nous avions pourtant

cru et pour lesquels nous aurions fait tou_____ les

sacrifices nécessaires.

20. Tout_____ bonne_____ chose_____ a une fin, dit souvent

mon père ; il ajoute toujours, quel_____ que soient les

moments, qu'il est tou_____ près de finir, lui aussi.

21. J'ai pleuré à quelque_____ reprise_____ en écoutant les

nouvelles ; elles sont souvent tou_____ mauvais_____ et

nous rendent l'âme tou_____ anxieuse.

22. Nous nous étions revus avec, au cœur, l'espoir de retrouver

tou_____ ces belles années et quelque_____ vieux et

tendres souvenirs.

23. Démêlez-vous quelque_____ « quelque » ? Ou, au

contraire, sont-ils tou_____ confus à votre esprit ?

24. Tou_____ les noms précédés du déterminant « tout »

s'accordent avec celui-ci, mais il n'en va pas de même

devant les adjectifs : tou_____ beaux, ils restent presque

toujours tou_____ invariables.

25. Tout_____ ces paroles et tou_____ ces mots,

quelque_____ erreurs et quelque_____ succès,

tou_____ cela vaut bien quelque_____ heures de repos,

quel_____ qu'en soient les conséquences.

26. Je n'avais jamais compris que tou_____ les tout_____

que j'accordais étaient aussi simples, en fait, que

quelque_____ autre_____ règles que j'ai apprises depuis.

(corrigé, *Les mordus...*, pages 16 et 17)

Vos Secrets...

L'oiseleuse

Un jour, Adélaïde était prête.
Elle était oiselle, mince et légère, frémissant dans les rafales de vent.
Ses formes de femme s'étaient modifiées selon les vols de ses rêves.
Elle avait recouvert tout son corps anguleux d'un enduit graisseux,
confectionné à même les sécrétions qui tapissaient le nid,
elle y avait collé du duvet et des plumes,
gardant les plus grandes pour prolonger ses membres antérieurs,
et le Noroît qui frémissait dans cette mince robe d'oiseau
lui suggérait d'embrasser le ciel à ailes ouvertes.

Les signes vivants qui flottaient sur le lac, les cabrioles du vent,
l'état de grâce qui précède l'envol, tout l'appelait à quitter sa falaise.
Sûre de ses moyens, Adélaïde s'avança sur le bord extrême de la corniche,
se gonfla le torse d'une grande goulée d'air,
étendit les ailes et lança son corps dans le ciel.

Elle volait ! Elle était aux oiseaux !

Jean-Pierre April

Extrait du livre de Jean-Pierre April : *Les ensauvagés* (XYZ)

L' *épicerie* : vocabulaire

Magasiner des *idées* toutes fraîches au *rayon* des *mots* en vrac

Les principaux homophones lexicaux, quelques mots difficiles et quelques trucs pour les retenir (trucs aussi appelés **mnémotechnie** en rappel de la déesse grecque Mnémosyne, implorée pour sa mémoire). Vous pouvez la prier vous aussi !

Amende (police) _____ Amande (se mange)

Apercevoir (avec un œil)

Boîte (couvercle : î) _____ Boite (verbe boiter)

Charrette (2 roues derrière et 2 devant)

Chœur (de chant) _____ Cœur (du corps)

Ciboulette (en tas, 2 t) _____ Échalote (trop maigre pour 2 t)

Cour, fém. (juge, asphalte) _____ Cours, masc. (eau, français, vie je-tu cours)

Cygne (oiseau ciel) _____ Signe (signal)

Diagnostic (le nom) _____ Diagnostique (l'adjectif)

Différend (dispute) _____ Différent (distinct)

Dilemme (moment de décision difficile)

Du (article : du beurre) _____ Dû (verbe devoir : il a dû)

Doigt (main gauche, droite) _____ Dois (verbe devoir : je-tu dois) Doit (verbe devoir : il doit)

Faim (manger) _____ Fin (finale)

Foi (de Dieu) _____ Foie (de poulet) Fois (moments, nombre)

Heurt (heurter) _____ Heure (temps, horloge)

Main (les doigts de la main) _____ Maints (plusieurs, maintes au féminin)

Mal (mauvais) _____ Mâle (homme)

Martyr (l'humain) _____ Martyre (la torture)

Mur (de maison) _____ Mûr (prêt à manger)

Ni (négation, nier) _____ N'y (il y a, il n'y a, etc.)

Plaie (blessure) _____ Plais-t (verbe plaire : je-tu-il)

Plainte (plaignard) _____ Plinthe (chauffage)

Prêt (prête) _____ Près (proche, auprès)

Repaire (cachette) _____ Repère (point de repère)

Tache (saleté) _____ Tâche (travail)

Sur (lieu, endroit) .... Sur, sure (adj., goût acide)
Sûr (certain)

Terrain (terre) .... Taire (ne pas parler)
Terrer (se) (se cacher)

Tranquillité .... Imbécillité
(plus tranquille avec 2 l) (plus imbécile, aussi ?)

Vain (inutile, en vain) .... Vin (boisson)
Vingt (argent)

Voie (route) .... Vois (je-tu vois, verbe voir)

Voix (chantez, larynx !) .... Voie (voir, subjonctif : je, il)
Voies (voir, subjonctif : tu)

Noms dont l'orthographe est particulière, malgré leur genre

Certains **noms** féminins se terminent par **ée**, alors que d'autres se terminent par **é**. Pour vous aider à retenir l'orthographe de ces noms, sachez que, la plupart du temps, les noms se terminant par **ée** sont des noms **concrets** : la réalité qu'ils désignent laisse supposer que ce sont des choses qui peuvent se **toucher**, se **voir**. De plus, ils **viennent souvent d'un verbe** (une allée = verbe aller) et ils peuvent exprimer le **contenu** (une bouchée, une assiettée).

Par ailleurs, les noms féminins dont la finale est en **é** sont souvent des noms **abstraits** : la réalité qu'ils désignent **ne peut** se **toucher** ou se **voir**. De plus, ils **ne viennent pas d'un verbe** et n'expriment **pas** le **contenu**.

Noms féminins en **ée** (**concrets** : peuvent soit se toucher, se voir, venir d'un verbe ou exprimer le contenu).

une allée	une cheminée	une fumée	une poignée
une armée	une contrée	une gelée	une portée
une arrivée	une destinée	une idée	une randonnée
une assemblée	une dictée	une montée	une soirée
une assiettée	une durée	une pelletée	une vallée
une bouchée	une entrée	une pensée	une volée

Noms masculins en **ée**

Le musée   le trophée

Noms féminins en **é** (**abstraits** : **ne peuvent pas** se toucher ni se voir ni venir d'un verbe ou exprimer le contenu).

une activité	une bonté	une moitié	une santé
une actualité	une électricité	une nervosité	une sécurité
une agilité	une habileté	une nouveauté	une simplicité
une amitié	une intimité	une obscurité	une sincérité
une anxiété	une liberté	une rapidité	une société
une beauté	une loyauté	une saleté	une stabilité

La main à la pâte

Ce texte contient **35 erreurs**. En vous basant sur **la liste des mots** des **pages 96 et 97** et sur vos connaissances, trouvez-les et corrigez-les. **Notez** qu'il n'y a **aucune erreur dans les temps de verbes**.

Ce jour-là, je me promenais dans l'allé, quand soudain une voie bizarre, venue de je ne sais où, attira mon attention. Je l'entendais crier avec émotion et chœur : « Viendras-tu m'aider à résoudre ce dileme ? »

Ne sachant trop que faire, je me mis pourtant à la tache et, après deux heurts de vingts efforts, je me résignai à abandonner.

Quelques jours plus tard, tout près de l'entré, je réentendis, pour la deuxième foie, cette drôle de plinthe. Je ne me sentais pas en sûretée, l'anxiétée me tenaillait et j'avoue, en véritée, que j'aurais préféré pouvoir me tairer dans un coin sombre, plutôt que de subir ce martyr : ne pas savoir d'où viennent la douleur, le malle, quelle cruauté dans le cour de la vie !

Je repris donc mon courage à deux maints, afin de régler ce différent entre moi et moi-même, différend qui, à présent, m'habitait tout entière : devais-je ou non venir en aide à cette voix qui m'appelait ?

Je cherchai donc partout : dans la monté, dans la vallé, mais toujours avec rapiditée, car j'entendais marteler mon cœur dans ma poitrine, terrible diagnostique de terreur, que ce cœur à l'épouvante !

Tout à coup, je vis une boite de carton, banale comme toutes les boîtes du monde. De là semblait venir la plinthe. Je m'en approchai : je m'apperçus qu'elle bougeait à peine, comme si un souffle l'habitait. De mes dois agités, tremblants, je l'ouvris. Il ni avait n'y monstres n'y âmes perdues qui s'y cachaient.

Pourtant, quelque chose me surprit : au fond de cette banale boîte, une photographie de moi, enfant. Photographie cachée dans son repère, et qui semblait me dire : « Dis, qu'as-tu fait de ta jeunesse ? »

Je repensai alors aux poèmes diffus et oubliés de mon enfance et m'enfuis, tenant solidement sur mon chœur cette beautée redonnée, pansement sur la plaie vive du vivre. Cette voie entendue me rappelait à ma mémoire : moi, au temps doux de l'innocence, de l'insouciance et de la puretée.

(corrigé, *Les mordus...* , page 18)

Céréale Killer *

Je ne suis qu'une Céréale Killer
Une sugar crispée, sans oseille,
Plus fauchée que les blés,
Plus à sec qu'une poignée de raisins.
Les seuls doigts d'auteurs que je touche,
C'est les jours de dédicaces
Dans les Salons du livre.
J'aimerais gagner mon pain,
À la sueur de ma main,
Mais j'ai des croûtes à manger,
Moi, la mie du poète...

Je ne suis qu'une Céréale Killer
Un feu de paille dans l'œil du lecteur.
Je campe sous les volutes des ils lettrés,
Trompe ma fin à leur bouillon de culture.
J'exerce la plus vieille écriture du monde,
M'effeuille pour une ligne ou deux.
Je rôde la nuit sous les confessionnaux,
Pour éventrer les parenthèses des dévotes
et des bigots.

J'envie Mots-Art et Mots-Lière.

Je ne suis qu'une Céréale Killer
Qu'un grain d'orge dans l'engrenage des penseurs
Don Quichotte des silos... on riz de moi
Les gens maïs !
Et s'éclatent sous mes menaces.
Je roule dans la farine les douaniers renifleurs.
Ma plume ne fait qu'effleurer
La fibre insensible des bien pesants.
Mais...

Je ne suis qu'une Céréale Killer !
Même pas une Spéciale Cas...

Linda Lauzon

' Désolée pour l'anglicisme,
mais avouez que la traduction
manquerait de... ~~punch~~ mordant !

Texte de Linda Lauzon, chroniqueuse sur le blogue des *Pelleteurs de nuages*

Pour éviter les cancans *lorsqu'on parle des quand, quant*

Au contraire des cancans, ces bavardages malveillants difficiles à éliminer de notre société, les **quand** et les **quant** ne sont pas si difficiles à repérer, pas plus que les **plutôt** et les **plus tôt**, les **quelques fois** et les **quelquefois**, les **d'avantages** et les **davantage.** Ce sont les derniers homophones que nous verrons.

Quand

Il peut s'agir d'un **adverbe interrogatif** : *quand reviendras-tu ?* Il rappelle le temps, le moment, la durée et l'instant.

Malgré la **prononciation** qui nous laisse croire qu'il pourrait parfois s'écrire avec **t** (par exemple : **quand** arriveras-tu ?), quand signifie : à quel moment arriveras-tu ? Le son **t** est simplement euphonique, il sert l'harmonie. En effet, dire : **quand d**'arriveras-tu serait fort désagréable à l'oreille.

Il peut également s'agir d'une **conjonction de subordination** qui indique également le temps et la simultanéité. Donc, malgré la prononciation, lorsque **quand** signifie le **temps**, le **moment**, il s'écrit avec un **d.**

↳ **Quand** elles sont entrées, nous étions tous occupés.

Quand signifie : au **moment** où elles sont entrées ; il s'écrit donc avec un **d.**

↳ Ils nous parleront **quand** nous aurons le temps de les écouter.

Quand signifie : au **moment** où nous aurons le temps ; il s'écrit donc avec un **d.**

↳ **Quand** reviendrons-nous chez nous ?

Quand indique le **temps** ; il s'écrit donc avec un **d.**

Quant à...

Il s'agit d'une **locution prépositionnelle** (mots qui sont toujours ensemble). Il est donc toujours accompagné de : **à moi, à toi, à nous, à eux,** etc. Il signifie alors, non pas le temps, mais : « Selon moi, d'après moi, en ce qui me concerne ».

On choisira donc d'écrire **quant** devant les expressions : **quant à moi, quant à nous, quant à vous, quant à eux, quant à elles.**

↪ Je ne sais si elle a aimé ce film ; **quant à moi,** il m'a laissée indifférente.

Quant à moi : en ce qui me concerne, il m'a laissée indifférente.

↪ Que voulaient-ils dire, hier, lorsqu'ils parlaient de mathématiques appliquées ? **Quant à nous,** nous n'avons rien compris.

Quant à nous : en ce qui nous concerne, nous n'avons rien compris.

↪ Je ne peux te dire ce que tu devrais penser de cette histoire ; **quant à eux,** ils ne s'en préoccupent pas.

En ce qui les concerne, ils ne s'en préoccupent pas.

Plus tôt

Il s'agit d'un **adverbe** (tôt) qui signifie **à meilleure heure.** On peut le remplacer par **plus tard** sans changer le sens de la phrase. Comme **plus tard** s'écrit en **deux mots, plus tôt** fait de même.

↪ J'arriverai **plus tôt** que prévu.

On peut dire : j'arriverai **plus tard** que prévu.

Plutôt

Il s'agit d'un **adverbe** de préférence, de comparaison, de choix. On **ne peut** le remplacer par **plus tard.**

↪ Il arrive à se débrouiller **plutôt** bien.

On ne peut dire : il se débrouille **plus tard** bien.

↪ Il aime **plutôt** se balader avec des amis, même s'il n'en dit rien ; il affirme **plutôt** apprécier la solitude.

On ne peut dire : il aime **plus tard** se balader ; on ne peut dire : il affirme **plus tard** apprécier la solitude.

Quelques fois

Il s'agit d'un **adverbe**. Il signifie à **quelques reprises**. On **peut** le remplacer par : **trois fois**.

↙ Il m'a parlé **quelques fois**, mais je ne le connais pas.

On peut dire : il m'a parlé à **quelques reprises** (**trois fois**), mais je ne le connais pas.

↙ Je suis venue **quelques fois** chez ce médecin et j'ai attendu plusieurs minutes à chaque fois.

On peut dire : je suis venue à **quelques reprises** (**trois fois**).

Quelquefois

Il s'agit d'un **adverbe**, mais il signifie : **parfois**. On **ne peut** dire à « **quelques reprises** » ni « **trois fois** », sans changer le sens.

↙ Il est **quelquefois** angoissé, et ce, sans qu'il sache pourquoi ; **quelquefois**, ça m'agace...

On peut dire : il est **parfois** angoissé (et non : *il est trois fois angoissé*) ; on peut dire : **parfois**, ça m'agace (et non : *trois fois, ça m'agace*).

Davantage

Il est **adverbe comparatif** et signifie **beaucoup plus**. On peut donc le remplacer par cette expression : **beaucoup plus**.

↙ Il l'apprécie **davantage** depuis qu'il la connaît mieux.

On pourrait dire : il l'apprécie **beaucoup plus**.

D'avantages

Il s'agit du **nom** « avantages », au pluriel, précédé du **déterminant** « **d'** » = **des** avantages. Ce « **d'** » oblige à mettre le nom **avantages** au **pluriel**.

↙ Il n'y a pas **d'avantages** à procéder ainsi.

On pourrait dire : il y a **des avantages** à procéder ainsi.

La main à la pâte

Corrigez, s'il y a lieu, les **quand**, **quant**, **plutôt**, **plus tôt**, **quelques fois**, **quelquefois**, **d'avantages**, **davantage**.

1. Quan_____ j'aurai terminé, j'aurai

   d'avantages_____ de plaisir à me reposer.

2. Il ne m'a rien confié, mais quelques fois_____

   j'ai l'impression qu'il en sait d'avantages_____

   que ce qu'il veut bien nous dire.

3. Il arrive plutôt_____ en avance, mais nous sommes

   heureux, car nous partirons plutôt_____ que prévu.

4. Il s'agit d'arriver plutôt_____ que plus tard.

5. « Quan_____ il me prend dans ses bras », chantait

   Édith Piaf... J'ai écouté cette chanson

   quelquefois_____ , la semaine dernière,

   d'avantage_____ pour moi que pour les autres.

6. « Quan_____ nous chanterons le temps des cerises »,

   dit cette autre chanson qui me plaît

   davantage_____ .

7. Certains aiment la musique, d'autres choisissent plus

   tôt_____ le sport ; quan_____ à lui, il adore les deux.

8. Il venait chez sa mère quelquefois_____ par

   semaine ; quelques fois_____ c'était pour lui

   faire une surprise.

9. Il est des jours où quan_____ le jour se lève

   on voudrait plus tôt_____ rester au lit, car quelques

   fois_____ nous ne nous sommes pas

   assez reposés.

10. Nous partirons pour ce pays dont tu rêves

    quelques fois_____ .

(corrigé, *Les mordus...*, pages 18 et 19)

Défi : employez d'autres métiers et
professions pour charmer…

Si j'étais...

Si j'étais **mathématicien**… je compterais sur tes doigts. Si j'étais **chimiste**… je « crochirais » nos atomes. Si j'étais **guitariste**… mon ongle effleurerait ton do. Si j'étais **coiffeur**… je te dépeignerais sous la couette. Si j'étais **fleuriste**… j'admirerais même tes boutons. Si j'étais **jardinier**… j'ensoleillerais tes pensées. Si j'étais **politicien**… je te raconterais des histoires. Si j'étais **cordonnier**… je t'enlacerais à l'heure de pointe. Si j'étais **tatoueur**… je graverais ton cœur sur le mien. Si j'étais **pompiste**… je ronronnerais à ton essence. Si j'étais **garagiste**… nous serions encore en panne. Si j'étais **avocat**… je te ferais toujours la cour. Si j'étais **juriste**… j'abolirais la peine d'amour. Si j'étais **marin**… je longerais tes côtes inspirantes. Si j'étais **internaute**… je te « chatterais » la pomme. Si j'étais **poète**… je t'enivrerais de mes vers.

Promesses d'ivresse.

Francis Pelletier

Extrait des affichettes *Si j'étais I* et *II*

T'écrire l'amour, c'est...

T'écrire l'amour, c'est... te soulever de ma plume. Te porter d'un point à un autre
entre le pouce et l'index en effleurant chacune de tes virgules du dos de ma main.

T'écrire l'amour, c'est... s'abriter dans l'ouverture d'une parenthèse, l'un contre l'autre.
Vivre en marge du temps, hésitant, devant un lit de prose,
en caressant de l'oeil tes lignes pulpeuses et si joliment composées.

T'écrire l'amour, c'est... t'enlever au passage pour t'offrir une chevauchée livresque
à dos de pur sens. Entraîner ton cœur au galop dans le carrousel de la vie
pour t'entendre crier : « Tu es le manège qui me fait tourner la terre. »

T'écrire l'amour, c'est... t'inviter à jouer aux D, à croiser les P et à prendre le T,
en négociant le point G... tandis que sous les A, les O et le bureau, nos mains
se donnent des L et caressent le clavier pour se toucher. Je t'M.

T'écrire l'amour, c'est... tendre l'oreille à tes silences,
que seul le bruit sourd du tambour de ta poitrine vient rompre
et greffer mes mots à la musique de ton cœur.

Francis Pelletier

Texte inédit de Francis Pelletier, avec la complicité de Linda Lauzon

Participer, n'est-ce pas le plus important ?

Les participes présents sont une autre forme du verbe qu'il faut comprendre afin de la distinguer de l'adjectif participe.

꩜

Participe présent

Le **participe présent** est un **verbe invariable** dans toutes phrases. Il indique qu'une action est « **en train de** » se passer, au même moment qu'une autre, et ce, dans la **même** phrase.

↞ En **mangeant** cette soupe trop chaude, elles **se sont brûlées**.

Nous avons ici le verbe **manger**. Nous pouvons supposer que des personnes étaient « **en train de manger** » cette soupe et qu'elles **se sont brûlées**.

L'emploi du **participe présent** indique que **deux** actions ont lieu **simultanément**.

↞ Ce n'est pas **en te fatiguant** de la sorte que **tu réussiras**.

En te fatiguant (participe présent) a lieu au même moment qu'un autre verbe de la phrase : tu **réussiras**.

On remarque qu'il y a souvent un « **en** » (en train de) qui **précède** le participe présent. Pour obtenir le participe présent d'un verbe, on prend le verbe à l'infinitif, on conserve le **radical** (la racine, le début) du verbe et l'on ajoute « **ant** ».

↞ **fatigu**er : fatigu**ant**.

On constate que la finale est toujours en « **ant** ».

Les adjectifs participes

Les **adjectifs participes** proviennent de **verbes au participe passé**, verbes qui, pourrait-on dire, se « prennent pour des **adjectifs** ». Ils **s'accordent** donc et prennent la marque du **masculin**, du **féminin**, du **singulier** ou du **pluriel** (fatigant, fatigante, fatigants, fatigantes).

Comme les **adjectifs participes** ne sont pas issus du verbe à l'infinitif duquel on a gardé le radical, la graphie change. Ainsi l'**adjectif** fati**gant**, s'écrit fati**gant** et le **participe présent** : fati**guant**.

Truc du chef

Pour différencier les **adjectifs participes** des **participes présents**, essayez de les mettre au **féminin** ou au **masculin** : seuls les **adjectifs participes** s'accordent.

Si vous pouvez dire « **en train de** » : ce sont des **participes présents**. Ils demeurent **invariables**.

La **finale** des adjectifs participes peut être en « **ent** » ou en « **ant** » (excellent, fatigant).

Verbe	Participe présent	Adjectif participe
Adhérer	(en) adhérant	adhérent(e)
Communiquer	(en) communiquant	communicant(e)
Différer	(en) différant	différent(e)
Épuiser	(en) épuisant	épuisent(e)
Exceller	(en) excellant	excellent(e)
Exiger	(en) exigeant	exigeant(e)
Fatiguer	(en) fatiguant	fatigant(e)
Intriguer	(en) intriguant	intrigant(e)
Naviguer	(en) naviguant	navigant(e)
Négliger	(en) négligeant	négligent(e)
Précéder	(en) précédant	précédent(e)
Provoquer	(en) provoquant	provocant(e)
Somnoler	(en) somnolant	somnolent(e)
Suffoquer	(en) suffoquant	suffocant(e)
Vaquer	(en) vaquant	vacant(e)
Violer	(en) violant	violent(e)
Zigzaguer	(en) zigzaguant	zigzagant(e)

La main à la pâte

Ajoutez, selon le cas : **ant** ou **ent**, s'il s'agit d'un **participe présent** ou d'un **adjectif participe**. N'oubliez pas vos trucs pour les reconnaître : « en train de » = participe présent. Si vous pouvez les mettre au féminin = adjectifs participes. Attention aux **finales** et à **l'accord** lorsqu'il s'agit de l'**adjectif participe**.

1. Quand je les trouve fatig_____ , c'est que, souvent, je le suis moi-même.

2. J'ai toujours trouvé ces endroits un peu épuis_____ ; c'est pourquoi je ne les fréquente plus.

3. Tu m'as fourni des preuves convain_____ et, à présent, je te crois.

4. Ce n'est pas en vous fatig_____ ainsi que vous aurez des résultats convain_____ .

5. Elle est exigean_____ envers les siens, mais elle l'est aussi à son égard.

6. Mes idées et les tiennes sont tout à fait différ_____ .

7. En provocant_____ la foule, vous vous attirez des remontrances.

(corrigé, *Les mordus...*, page 19)

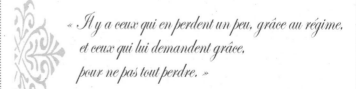

atelier

16

Le voyageur achoppé

Une histoire drave. La sanglante histoire d'un arbre récalcitrant,
abattu de sang-froid, découpé à la scie et finalement balancé à la flotte.

Ma famille a poussé ici. J'ai germé tout près de mon père. Je grandissais tranquillement
en bordure de la rivière. Je commençais juste à m'enraciner dans ce beau coin de pays.

Un jour, on m'a littéralement arraché à ma terre natale. J'eus beau faire la gueule de bois,
prétendre que j'étais trop vert, pas encore mûr, né de mauvaise souche. J'eus beau refuser
de bouger, m'accrocher au sol et répéter que je ne voulais rien savoir du reste du monde...
On m'a tout de même mis au courant.

Depuis ce temps, je le descends, le courant. Je suis si las, si fatigué. Et puis,
je perds du bois à vue d'œil. Si ça continue, je sens que je vais devenir mince, mince...
comme une feuille de papier !

Francis Pelletier

Texte de Francis Pelletier, audible sur le CD : *Promesses d'ivresse*
Pose & Prose aussi disponible en affiche littéraire (Les Pelleteurs de nuages)

Vous êtes enfin professeur, corrigez s'il y a lieu !

La main à la pâte

Trouvez les erreurs qui se trouvent dans les phrases suivantes et **corrigez**, s'il y a lieu.

1. Vous nourrisse_____ de beau_____ projet_____ , mais votre carrière est déjà commencé_____ , et selon vos employeur_____ , elle est parfait_____ .

2. Ces magnifique_____ revue_____ seron_____ imprimé_____ par vos bon_____ soin_____ .

3. La fraîcheur des aliment_____ congelé_____ nous incite_____ a_____ les consomme_____ d'avantages_____ .

4. Deux femme_____ en colère s'opposai_____ au vote des citoyen_____ ahuri_____ .

5. Ils se serai_____ plaint_____ de leur_____ professeur_____ de français et de mathématiques, et ce, sans raison_____ valable_____ .

6. Tu prétend_____ que le différent_____ se réglera_____ sans difficultées_____ .

7. On a d'avantages_____ faim à l'arrivé_____ de l'hiver et il faut alors consomme_____ plus de calorie_____ .

8. Le déjeuner, le dîner et le souper faisai_____ partie des mœurs québécoise_____ .

9. Les histoire_____ atroce_____ de leur_____ père_____ , ils nous les racontai_____ dès qu'ils en avai_____ la chance.

10. Deux gendarme_____ se parlai_____ , plutôt_____ se_____ matin, du dévouement exemplaire de leur_____ collègue_____ .

11. Ces_____ draps et ses_____ mouchoir_____ sali_____ se trouvai_____ parmi les chose_____ laissé_____ en désordre au moment du départ.

12. Le mât de se_____ navire est fatig_____ à regarder, il menace de tombe_____ .

13. Josiane c'est_____ félicité_____ de ne pas avoir cru ses_____ bêtises que lui racontai_____ son ami.

14. Toute_____ leur_____ manœuvre_____ étaient vaine_____ et ils pleuraient de désespoirs_____ .

15. Quan_____ ont_____ arrivera a_____ destination, vous nous préviendre_____ .

16. En te fatigant_____ de la sorte, ne va pas croire que tu t'aide_____ a_____ remonte_____ la pente.

17. Les vieillard_____ qui boite_____ le long des trottoir_____ enneigé_____ me rappelle_____ a_____ ma vieillesse prochain_____ .

18. Ou_____ vas-tu ? A_____ cette école où_____ chez toi ?

19. Vous nous racontere_____ vos sortie_____ endiablé_____ dès que vous le pourre_____ .

20. Ces route_____ , le verglas les avai_____ rendu_____ glissante_____ .

21. Tou_____ vos souci_____ , tou_____ vos malheur_____

et tout_____ vos joie_____ me touche_____ également.

22. Ils ont beaucoup de mal a___ mange_____ depuis qu'on_____

leurs_____ a _____ donner_____ des légumes brûlant_____ .

23. Ses_____enfants, qu'il voi_____ tou_____ les jour_____

dans la cours_____ de l'école, il les aime_____ , ce professeur.

24. Je vous parler_____ plutôt_____ que prévu, ne vous

inquiéte_____ pas et demeure_____ calme_____ .

25. Il les a_____ reçu_____ , ces_____ petite_____ fleur_____

bleu_____ que l'ont_____ voulai_____ lui donne_____ .

26. Les mâles_____ et les bagage_____ sont posé_____

tou_____ près des deux escalier_____ brun_____ .

27. La carrière du députée_____ est interrompu_____ par de

grave_____ problème_____ de santée_____ .

28. Se_____ n'est pas facile d'enleve_____ cet_____ tâche_____

de goudron qui ce_____ trouve sur le matelas.

(corrigé, *Les mordus...*, pages 19 et 20)

*R*emises en question

Quand on se sent jeune, est-ce parce que l'on est rendu vieux ?

Si quelqu'un affirme être menteur, peut-on le croire ?

Sommes-nous si différents de nos semblables ?

Si l'on ne trouve pas le temps, est-ce parce qu'on l'a perdu ?

Pourquoi rage-t-on contre la densité du trafic dont on fait soi-même partie ?

Un bon coup de pied peut-il faire avancer le paresseux plus que douze coups de pouce ?

Comment dire à une personne qu'elle est susceptible sans être susceptible de la froisser ?

Si l'on est dans la merde par-dessus la tête, comment peut-on respirer par le nez ?

Faut-il regarder l'antipathique de profil au lieu de le regarder de travers

pour lui trouver un côté sympathique ?

Est-ce l'espérance ou la foi qui fait croire en l'au-delà ?

Si l'orgueil trône au-dessus de l'intelligence, est-il bien placé ?

À quoi bon apprendre à vivre si l'on ne vit pas ce que l'on apprend ?

Donne-t-on pour supporter les pauvres ou parce qu'on ne supporte pas de voir la pauvreté ?

Refuser l'euthanasie à un mort vivant, est-ce le condamner à la peine de vivre ?

Si le temps c'est de l'argent, peut-on être riche du moment présent ?

Roger Mariage

Extrait de l'affichette *Remises en questions* (Les Pelleteurs de nuages)

17 La *ponctuation* : la phrase intelligible

Ces petits éléments qui donnent un sens et raffinent le goût...

La **ponctuation**, élément-clef de la langue, sert de souffle dans la phrase. Elle permet d'éviter des non-sens et de rendre la **phrase intelligible**. Sans ponctuation, un texte n'a plus de sens, bien que les mots soient tous au bon endroit. Voyez l'exemple suivant.

↙ Les gens marchaient dans la rue pressés rapides et tendus il s'agissait pour eux de revenir se reposer sans attendre après leur dure journée de travail c'est du moins ce que leur avait dit Pierre leur ami qui habitait près de là dans ce petit immeuble d'ailleurs il était très fatigué plein de remords et il se demandait comment peut-on travailler sans y laisser sa peau cette question lui trottait dans la tête question imbécile se disait-il sans trop savoir pourquoi

Cette phrase ne veut plus rien dire. Pourtant, elle possède **tous les constituants** nécessaires (sujets, verbes, compléments). Il n'y **manque** que la **ponctuation**. Reprenons-la et vous verrez la différence.

↙ Les gens marchaient dans la rue, pressés, rapides et tendus. Il s'agissait, pour eux, de revenir se reposer sans attendre, après leur dure journée de travail. C'est du moins ce que leur avait dit Pierre, leur ami, qui habitait près de là, dans ce petit immeuble. D'ailleurs, il était très fatigué, plein de remords, et il se demandait : « Comment peut-on travailler sans y laisser sa peau ? » Cette question lui trottait dans la tête, question imbécile, se disait-il, sans trop savoir pourquoi.

Au menu, nous verrons **quand** et **pourquoi** utiliser les principaux signes de **ponctuation** : la virgule (et le point-virgule), le point, les deux-points, les points de suspension, le point d'exclamation, le point d'interrogation et les guillemets.

La virgule

1. Énumération : elle sert à **séparer** les éléments d'une énumération.

⬦ La tasse, le bol, les ustensiles et les couteaux étaient sur la table.

2. Précision (apposition) : elle sert à **préciser** de qui ou de quoi l'on parle dans la phrase.

⬦ Pierre, mon ami d'enfance, est venu me voir cet après-midi.

Cette ponctuation explicative est une mise en **apposition** (entre deux virgules). **L'apposition** sert toujours à **préciser** de qui ou de quoi il est question dans la phrase.

⬦ Mickaël, champion au hockey, est toujours en tournoi.

Dans ces deux exemples, les mots mis en apposition désignent le **même être**, la même chose.

3. Explication : elle sert aussi à **introduire** une explication dans la phrase.

⬦ Un père, qui aime ses enfants, se dévoue pour eux.

4. Séparation d'éléments juxtaposés : elle sert à séparer les **éléments juxtaposés** (voir propositions, p.124).

⬦ La machinerie lourde remplit la salle, elle fait du tapage, elle gronde, elle grogne, elle me fait penser à un ours en colère.

5. Devant les coordonnants : mais, car, puis, donc. Elle **précède** toujours ces **coordonnants. Or**, quant à lui, est **suivi** d'une **virgule** et **précédé** d'une ponctuation plus forte : le **point-virgule**.

⬦ La foule hurlait de colère, **car** le député n'était pas encore arrivé après une heure de retard ; **or,** nous l'attendions.

....

Notez que la virgule n'est **absolument pas nécessaire** devant le **et** ni devant les coordonnants **ni – ou** :

⬦ Je n'aime **ni** le sel **ni** le poivre.

⬦ Il faut que tu rapportes ton cartable **et** tes devoirs.

⬦ Tu peux partir **ou** rester.

6. Après un CC en tête de phrase : certains privilégient l'emploi de la virgule quand le **CC** est **long** et ne l'utilisent pas si le **CC** est **court**. On peut, sans commettre d'erreurs, utiliser systématiquement une virgule **après un CC court** ou **long**.

↳ Le samedi soir, toutes les familles semblent se retrouver.

CC long, en tête de phrase, donc **virgule**.

↳ Hier (**avec** ou **sans** virgule) j'ai vu mon chien.

CC court, en tête de phrase : on **peut** ou **non** mettre une **virgule**.

7. Sert à introduire une incise : elle permet de faire une coupure dans la phrase, et ce, afin d'expliquer **qui** parle.

↳ « La vie, me dit ma sœur, est plus jolie que tu l'imagines. »

↳ « Il faut toujours garder espoir », nous dit-elle.

↳ « Je suis revenue, racontait-elle, dès que j'ai appris la nouvelle. »

8. Sert à introduire un mot mis en apostrophe : elle permet de **faire un arrêt** pour indiquer à quelqu'un qu'on lui parle. On « l'apostrophe », on l'arrête afin qu'il nous écoute. Cette **virgule** implique la présence d'un verbe à **l'impératif**.

↳ Dis-moi, Estelle, pourquoi pleures-tu ?

↳ Michel, lis-moi ce passage.

Michel, lis-moi ce passage diffère de : *Michel lit ce passage* ; le premier étant **impératif** et le second **indicatif présent**.

Notez bien

On ne met **jamais** de virgule **entre** un **sujet** et son **verbe** (sauf lorsqu'il y a des éléments juxtaposés, comme vous venez de le voir).

 *La main à la pâte*

Ponctuez les phrases suivantes auxquelles il manque des **virgules**.

1. Les hommes les crapauds les grenouilles et les fleurs bref tout cela fait partie de la vie.

2. Cette montagne de neige qui se voulait plaisante qui se voulait drôle qui se voulait fête pour les enfants commence à fondre c'est le printemps.

3. Liette mon amie de toujours est partie en Afrique hier.

4. Cette phrase qu'il n'avait pas encore lue était si belle !

5. Virgule mon chat aime les sardines fraîches.

6. Je les aime mais je ne le dis pas assez souvent.

7. Tous les jours de la semaine je m'entraîne donc je suis en forme.

8. Dis-moi Mathieu pourquoi es-tu si triste aujourd'hui ?

9. J'ai cueilli les fraises les framboises les échalotes et les radis de mon jardin.

10. Mon père qui croyait dur comme fer à la bonté n'en a jamais manqué envers les autres.

11. C'est mon fils Romuald qui a gagné la médaille d'or.

12. « Je viens dit-il d'apercevoir quelque chose. »

13. Ni toi ni moi ne voulons de ce débat car il semble trop malhonnête.

14. N'allez pas croire chers amis que je veux vous ennuyer car j'essaie au contraire de vous détendre.

15. Les virgules ces signes de ponctuation je les connais.

(corrigé, *Les mordus...* , pages 20 et 21)

Le point

1. En **fin de phrase**, on place **toujours un point.**

 ↰ Les odeurs de ce sous-bois me rappellent de bons souvenirs**.**

 ↰ Les forêts s'enflamment à l'automne**.**

Le **premier mot** de la **phrase suivante** prend **toujours** une **majuscule.** Le point est donc suivi d'une majuscule.

2. **Abréviation :** le point peut servir, selon le cas, à l'**abréviation.**

 ↰ **ex.** peut-être utilisé pour remplacer *exemple.*

Il existe des centaines d'abréviations. **Notez** cependant que les **acronymes** (sigles composés de la première lettre de plusieurs mots, se prononçant comme un seul mot : Cégep, ONU, ZLÉA, etc.) ne prennent **pas** de **points abréviatifs**. Il en va de même pour les **sigles** (mots composés de la première lettre de plusieurs mots, ne se prononçant pas comme un seul mot, mais s'épelant lettre par lettre : SRC, CLSC, etc.).

Il n'y a **pas de majuscule après un point abréviatif,** sauf s'il **termine** une **phrase.**

 ↰ Je suis au max**.** **d**e ma forme.
 (**max.** est l'abréviation de *maximum*).

Les deux-points

1. **Discours direct** ou **citation de paroles :** les **deux-points** sont utilisés pour **annoncer** un **discours direct** (quelqu'un, dans la phrase, va parler).

On mettra une **majuscule après** ces deux-points, car ils sont **suivis** de **guillemets** (nécessaire pour **citer** les paroles de quelqu'un).

 ↰ J.P. Claris de Florian écrivait **:** « Pour vivre heureux, vivons cachés. »

 ↰ Dans sa pièce *Huis clos*, Sartre affirme que **:** « L'enfer, c'est les autres. »

2. L'explication : on utilise les **deux-points** pour **expliquer**, pour donner la **cause** ou le **résultat**.

 Les enfants étaient abandonnés **:** la guerre avait tout détruit autour d'eux.

 La maladie fait toujours rage **:** sida, cancer, maladie de la vache folle, bref, nous n'avons pas encore vaincu la mort.

On ne met **pas de majuscule après** ces deux-points.

3. Énumération : on utilise les **deux-points** pour **énumérer** quelque chose **clairement annoncé**.

 Trois élèves se sont présentés à la présidence de leur école **:** Nicole, Véronique et Kevin.

Les points de suspension

Ils sont toujours en **trois points** = ... , ils **signifient** que :
1) Quelque chose est **inachevé** (il pleuvait si fort...) ;
2) **Interrompu** (je marchais vite, quand soudain...) ;
3) **Suspendu** pour créer de l'effet (il se dit premier de classe...) ;
4) Ou encore **suspendu** pour dire « **ainsi de suite** » (il veut des pommes, des oranges, des bananes...).

On ne doit **jamais** utiliser les points de suspension **après** le mot **etc.** qui signifie lui-même « ainsi de suite ».

« *Être, c'est...*
partager un problème pour le diviser,
un bonheur pour le multiplier. »

- Francis Pelletier -
Extrait du livre *Être, c'est...* (Les Pelleteurs de nuages)

Le point d'interrogation

Phrase interrogative : pour **poser** une **question**, à la **fin** de la **phrase**, on utilise le **point d'interrogation**. Le **mot** qui commence la **phrase suivante** prend, généralement, une **majuscule**.

↞ Pourquoi aimes-tu tant le cinéma ? Moi, je préfère le théâtre.

Parfois, la phrase interrogative **ne** se termine **pas** sur l'interrogation. Dans ce cas : **pas de majuscule** après le **?**

↞ Quand arriveras-tu ? je m'ennuie de plus en plus.

« *Être, c'est...*
rassembler le potentiel de chacun
pour réaliser ce qui est irréalisable, seul. »

- Francis Pelletier -
Extrait du livre *Être, c'est...* (Les Pelleteurs de nuages)

Le point d'exclamation

On l'utilise **après les interjections**, dont celles-ci : Ah ! Eh ! Oh ! **L'interjection** est un mot ou un groupe de mots qui **expriment** la **surprise**, la **peur**, la **colère**, bref : les **émotions**.

↞ Eh ! attends-moi !

Comme vous le constatez, on utilise **deux fois le point d'exclamation** : **après** la **première** interjection et à la **fin** de la **phrase**.

↞ Ah ! comme vous avez de beaux yeux !

Si la phrase **ne commence pas** par une **interjection**, le **point d'exclamation** se trouvera **en fin de phrase** seulement.

↞ C'est fou comme je t'aime !

Les guillemets

Ils servent à introduire une **parole citée**.

Si la citation **ne** commence **pas** la **phrase**, ils sont **précédés** des **deux-points**.

↞ Mon premier amour m'avait dit : « Jamais je ne te quitterai. »

Si la citation **commence** la **phrase**, il **n'y a pas** de **deux-points**. On **commence directement** avec les **guillemets**.

↞ « Les femmes sont bizarres », disent souvent les hommes.

On peut aussi utiliser les **guillemets** pour faire référence à une **réalité**, à un **adage**, à un **proverbe**.

↞ Je n'ai rien su de « la guerre de Cent Ans ».

↞ Je connais cet adage déformé : « Qui a bu abusera » et cet autre : « Il faut battre son frère quand il est chaud. »

Dans les phrases suivantes, ajoutez, au besoin, les **virgules**, les **points**, les **deux-points**, les **points de suspension**, les **points d'exclamation**, les **points d'interrogation** et les **guillemets**.

1. Il m'avait apporté tant de choses des tomates des laitues et des concombres

2. Il est revenu du CLSC épuisé

3. Va-t-il venir à la grande fête que tu organises

4. Ah je l'aime tellement

5. Ma sœur Catherine s'indigne devant l'horreur qu'il y a dans le monde

6. Une hirondelle ne fait pas le printemps selon l'adage

7. Il m'a dit Aie confiance en l'avenir puis il est reparti

8. Si jeunesse savait si vieillesse pouvait

(corrigé, *Les mordus...*, page 21)

La main à la pâte

Le **texte** suivant **n'est pas ponctué**. À vous de jouer. Mettez-y les **ponctuations nécessaires**. N'hésitez pas à revoir les descriptions et exemples de chacune des ponctuations que vous venez d'étudier.

Pour vous aider, j'ai tout de même isolé, en paragraphes, les idées principales du texte.

Lettre à mes élèves

Je me suis levée de bonne heure ce matin j'avais envie de vous écrire et de vous parler de mon métier auprès de vous mais surtout de vous avec moi c'est fou tout le bien que vous me faites je m'en étonne chaque jour une amie me disait il ne faut rien attendre des autres mais à vous côtoyer j'ai compris qu'elle a tort car elle ne comprenait pas que les autres c'est aussi un peu de soi

Nous élèves professeurs et directeurs travaillons ensemble nous avons du plaisir et nous connaissons parfois des défaites tout en sachant nous relever après la chute l'adage disait tomber est si facile mais se relever est si digne moi je le crois aujourd'hui le croyez-vous croyez-vous à l'amour des mots des êtres et des choses

Pour ma part ni les honneurs ni les reconnaissances ne valent votre sourire vos yeux éveillés de curiosité et votre constante belle humeur je ne savais pas que je serais un jour si heureuse de montrer ce que je sais certes mais surtout d'apprendre ce que vous savez je me demandais ah et puis laissez faire je voulais simplement vous dire merci

(corrigé, *Les mordus...*, pages 21 et 22)

atelier

18

Le livre apprivoisé

Quand une histoire se terminait, ma grand-mère se délivrait. De sa petite main osseuse.
De ses doigts croisés pour la chance qui s'étaient ankylosés par l'arthrite. Elle s'approchait
de la fenêtre du téléphone, elle ouvrait la guillotine qui donnait sur la cour, et elle lançait
le livre dehors. Dans l'élan, la couverture s'ouvrait. Les feuilles s'ébrouaient. Et avant même
de toucher le sol, le livre se mettait à battre de l'œuvre, à tire-de-page, et à prendre le vol.
Mes yeux ne comprirent jamais comment. C'était un livre sauvage que ma grand-mère
analphabète avait dressé à venir pondre des histoires en or dans le nid
de ses petites mains de rêves.

Dans mon village, si les paroles s'envolent, c'est surtout parce que bien des grands-mères
restent encore.

Fred Pellerin

Extrait du livre de Fred Pellerin : *Comme une odeur de muscles* (Planète rebelle)

Les **propositions**

À quand remonte la dernière proposition que l'on vous a faite ?

Une proposition, dans la vie de tous les jours, c'est une suggestion, une offre. Elle est toujours constituée d'un **verbe conjugué** : je voudrais te voir demain, après la classe. Viendrais-tu au cinéma avec nous ? (eh bien ! voilà une très agréable proposition !).

Dans la grammaire française, une **proposition** forme une phrase. La phrase peut contenir plus d'un verbe **conjugué**. C'est donc dire que plus vous utilisez de verbes conjugués, plus vous avez de propositions.

Si la phrase ne contient qu'**un** seul **verbe conjugué**, elle est appelée **phrase simple**.

Si, au contraire, elle contient **plus d'un verbe conjugué**, on l'appellera **phrase complexe**. Attention : **complexe** ne veut pas dire **compliqué**.

En effet, si l'on vous fait des propositions, trouvez-vous ça compliqué ? Parfois, peut-être...

Linda **voudrait** que tu **viennes** avec elle, au cinéma, ce soir.

Vous avez là **une** belle **proposition** et même **deux** : celle d'aller au cinéma et celle, plus amusante encore, d'y aller avec Linda ! N'est-ce pas charmant ?

Voyons donc ces **propositions** que vous fait madame « Grammaire française ».

La proposition indépendante

La **proposition indépendante** est d'abord une **phrase simple**. On parle de **juxtaposition** ou de **coordination** quand on veut **relier** deux propositions indépendantes, **deux phrases simples**. La proposition indépendante unira alors **deux verbes**, dans la **même** phrase.

En réalité, ces **deux verbes** auraient pu former **chacun une phrase**. C'est pourquoi ces propositions sont dites **indépendantes**, car elles ne sont pas liées par obligation, mais par... plaisir !

Il y a **deux sortes** de **propositions indépendantes** :

1. Les **indépendantes juxtaposées** ;
2. Les **indépendantes coordonnées**.

La proposition indépendante juxtaposée

On y trouve **deux verbes conjugués**, **séparés** par un **signe de ponctuation** autre que le point (évidemment, car s'il y avait un point, nous aurions une autre phrase).

Le **signe** séparant les deux verbes conjugués de la phrase peut donc être : la **virgule**, les **points de suspension**, les **points-virgules**, les **deux-points**. Les **indépendantes juxtaposées** sont donc séparées par : **,** ... **;** **:**

↞ Il **aime** se promener le soir/**,** il se **sent** alors si tranquille. Ou :

↞ Il **aime** se promener le soir/**...** il se **sent** alors si tranquille.

> **Deux** verbes conjugués : **aime** et se **sent** ; **deux propositions indépendantes**, puisque nous aurions pu mettre un point après chacune sans perdre le sens de la phrase : *Il aime se promener le soir. Il se sent alors si tranquille.*

> **Deux** propositions **indépendantes juxtaposées**, puisque des signes de **ponctuation** (la **virgule** et les **points de suspension**) séparent les verbes.

La proposition indépendante coordonnée

On y trouve **deux verbes conjugués, séparés** par un **coordonnant. Mais, ou, et, donc, car, ni, or** sont les principaux coordonnants.

« *Mais... ou et donc carnior ?* » Cette *phrase* mnémotechnique vous rappelle certainement quelque chose ? Ce sont les **coordonnants** qui sépareront votre proposition **indépendante coordonnée**.

 Il **aime** se promener le soir/, **car** il se **sent** alors si tranquille.

Ou :

 Il **aime** se promener le soir/ **et** il se **sent** alors si tranquille.

Deux verbes conjugués : **aime** et se **sent** ; **deux propositions indépendantes**, car nous aurions pu mettre un point après chacune sans perdre le sens de la phrase : *Il aime se promener le soir. Il se sent alors si tranquille.*

Nous avons là **deux** propositions **indépendantes coordonnées**, car ce sont des **coordonnants** (**car** et **et**) qui séparent les verbes.

Je t'offre un jardin

Un jardin mi-clos...
Où de bonne heure,
Mille et une fleurs,
Fraîchement éveillées,
Pointent leur petit nez,
Étirent leurs pétales assoiffés
Et s'enivrent de rosée.
À ta santé !

Un jardin-party...
Où les bourdons gavés,
Aux pistils bien adossés,
Cuvent avant de s'envoler.
Où les papillons excités,
S'amusent à te maquiller,
De leurs ailes poudrées.

Un jardin rangé...
Où les oiseaux alignés
Cessent soudain de chanter
Pour t'entendre marcher.
Où les fleurs endimanchées
Ne rêvent que de caresser
La plante de tes pieds.

Francis Pelletier

Ces fleurs te souriront en mon absence
et rougiront en ta présence.

Extrait du livre mural de Francis Pelletier : *Douze variations sur le même t'aime*
Pose & Prose aussi disponible en affiche littéraire (Les Pelleteurs de nuages)

Ne paniquez pas !

Nous n'en verrons que l'essentiel. Les comprendre vous aidera à écrire des phrases dont la syntaxe est adéquate.

La **proposition principale** est celle qui, dans votre phrase, joue le **premier rôle**. Elle ne dépend d'aucune autre proposition. Elle a des propositions « sous ses ordres ». On peut en dire qu'elle est intelligible, c'est-à-dire que **seule**, elle a **encore** du **sens**.

La **subordonnée** est, comme son nom le laisse entendre, **sous l'ordre** de la principale pour avoir du sens. **Seule**, elle ne signifie rien.

⬳ Les joies / **que** tu **as vécues** / **sont** rares et précieuses.

Les joies sont rares et précieuses forme la **proposition principale** parce qu'elle a du **sens** et pourrait, seule, former une phrase **intelligible**. Par contre : *que tu as vécues* n'a **pas de sens** sans la proposition principale. Cette section est sous « l'ordre » de la principale (sub**ordonnée**). C'est le pronom relatif « **que** » qui l'introduit. On l'appellera **subordonnée relative**.

⬳ Je **mange** la pomme / **que** tu me **donnes**.

Je mange la pomme forme la **proposition principale**. Elle a du **sens** et pourrait, à elle seule, former une phrase simple. Par contre : *que tu me donnes* n'a **pas de sens** sans la proposition principale. C'est le pronom relatif « **que** » qui l'introduit. On l'appellera **subordonnée relative**.

Les propositions subordonnées relatives et conjonctives

La proposition **subordonnée relative** est introduite par les **pronoms relatifs** : qui, que, dont.

La proposition **subordonnée conjonctive** est introduite par des **conjonctions de subordination** de toutes sortes. Ces **conjonctions** jouent des rôles importants dans la phrase (voir liste p. 130).

La subordonnée relative

Elle est **introduite** par les **pronoms relatifs** : qui, que, dont.

⇐ La soupe / **que** tu **fais** / **est** délicieuse.

La **principale** : *La soupe est délicieuse* ; la **subordonnée relative** qui, seule, ne voudrait rien dire : **que** *tu fais*.

⇐ **J'aime** les enfants / **qui barbotent** dans l'étang.

La **principale** : *J'aime les enfants* ; la **subordonnée relative** : **qui** *barbotent dans l'étang.*

⇐ L'accident / **dont** tu **fus** témoin / **t'a** profondément **bouleversé**.

La **principale** : *L'accident t'a profondément bouleversé* ; la **subordonnée relative** : **dont** *tu fus témoin.*

La subordonnée conjonctive

Elle est **introduite** par des **conjonctions de subordination** (voir liste p. 130).

Ne confondez pas **que**, qui peut être **pronom relatif** ou **conjonction de subordination** : il faut que je la voie tout de suite (**que** n'est pas pronom, ici, mais conjonction).

⇐ Elle **est partie** sans rien dire, / **alors que** je **rangeais** la chambre.

La **principale**, intelligible toute seule : *Elle est partie sans rien dire* ; la **subordonnée** est sous l'ordre de la principale pour garder son sens : **alors** *que je rangeais la chambre* (seule, cette portion de phrase ne signifie rien).

⇐ Il **arrive** toujours à me faire rire, / **même quand** je n'en **ai** pas envie.

La **principale** : *Il arrive toujours à me faire rire* ; la **subordonnée** : même **quand** *je n'en ai pas envie.* .

⇐ Il **s'est mis** à venter / **dès que** nous **sommes sortis**.

La **principale** : *Il s'est mis à venter* ; la **subordonnée conjonctive** : **dès que** *nous sommes sortis.*

Quelques conjonctions de subordination

temps	but	concession	cause
dès que	pour que	bien que	parce que
alors que	de façon que	encore que	puisque
pendant que	que (~~pronom~~)	admettant que	comme
quand	afin que	quoique	vu que
lorsque	de peur que	tandis que	du fait que

condition	comparaison	conséquence
même si	ainsi que	à tel point que
si	plus que	tellement que
si ce n'est	comme	de sorte que

La main à la pâte

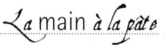

Dans les phrases suivantes, trouvez les propositions **indépendantes juxtaposées** et **coordonnées**. De plus, trouvez les **principales** et les **subordonnées relatives** et **conjonctives**. N'oubliez pas de **souligner** les **verbes**, de faire une césure (coupure) devant les conjonctions, les pronoms relatifs ou les ponctuations et les coordonnants qui séparent votre phrase. S'il n'y a qu'un **verbe conjugué** dans la phrase, c'est qu'elle est simple.

1. J'ai mangé les fruits que j'avais cueillis hier.

2. Les jouets qui se trouvent près de la porte, ramasse-les.

3. La fille dont nous parlions viendra nous voir.

4. Il a marché, il a couru, il est épuisé.

5. Les bonheurs sont faits de petits riens, mais on s'en réjouit !

6. Il est parti, car il avait une réunion.

7. Je ne sais pas grand-chose de la vie ; or, cela me sécurise !

8. Dès que la cloche a sonné, les enfants se sont retirés.

9. Il m'a dit d'avoir confiance en l'avenir, puis il est reparti.

10. Jeudi, j'ai reçu les fleurs que j'avais réservées.

11. Le vent souffle et je l'entends comme une douce musique.

12. La vie me semble si belle quand je lis au soleil !

(corrigé, *Les mordus...*, page 22)

Je t'offre un ruisseau

Un ruisseau qui...
Dévale les collines,
De pluie en pluie rapides.
Ne cesse de rigoler,
En trébuchant sur les rochers,
En cascades de se marrer,
Malgré ses chutes répétées.

Un ruisseau qui...
Sillonne le champ,
Toujours en courant.
Se perd dans le bois,
Encore une autre fois.
S'endort sous le pont,
Trop souvent bien rond.
S'étire entre les pissenlits,
Fait et refait son lit.

Un ruisseau qui...
Se traîne à tes pieds
Pour te chuchoter,
Te murmurer, te prier,
De tes doigts le caresser,
De tes lèvres le toucher.

Il en perd la terre,
En oublie sa mer.

Francis Pelletier

Ne le laisse pas filer entre tes doigts.

Extrait du livre mural de Francis Pelletier : *Douze variations sur le même t'aime*
Pose & Prose aussi disponible en affiche littéraire (Les Pelleteurs de nuages)

Au menu : les adjectifs de couleur, demi, et demi, à demi, semi, nu, les déterminants numéraux.

Les adjectifs de couleur

N'oubliez pas que les adjectifs de couleur **s'accordent** comme tous les autres **adjectifs**.

↞ Les belles feuilles rouge**s** s'allongent sur l'herbe ver**te**.

Cependant, si l'adjectif de couleur est **emprunté** à un **nom commun**, il demeure **invariable**.

↞ Des robes orang**e** et des chapeaux bleu**s**.

Orang**e** : **emprunt** au **nom** commun **orange** (fruit). Il ne s'accorde pas, mais bleu**s**, adjectif de couleur, s'accorde.

↞ Des yeux émeraud**e** et des yeux vert**s**.

Émeraude : **emprunt** au **nom** commun **émeraude** (pierre précieuse). Il ne s'accorde pas, mais *vert**s***, adjectif de couleur, s'accorde.

Demi

Lorsqu'il **précède** un <u>nom</u>, **demi** est **adjectif invariable** et il se joint au nom par un **trait d'union**. Le nom, lui, s'accorde.

↞ Seules ces **demi-vérités** les auront convaincus.

Lorsqu'il **précède** un <u>adjectif</u>, **demi** est **adverbe invariable** et il se joint à l'adjectif par un **trait d'union**. L'adjectif, lui, s'accorde.

↞ Des fenêtres **demi-closes** embellissaient la maison.

Et demi

Sous la forme **et demi**, l'adjectif **demi s'accorde** en genre seulement (masculin ou féminin).

↞ J'ai attendu d'abord une heure **et demie**, puis trois jours **et demi**.

À demi

Il s'agit d'une locution adverbiale. **À demi** est **invariable** et ne prend **pas de trait d'union** devant un <u>adjectif</u>.

↞ Elle était à **demi morte** de froid.

Par ailleurs, **à demi** demeure **invariable**, mais prend un **trait d'union** devant un <u>nom</u>.

↞ Ce chandail était à **demi-prix**.

Semi

Semi, toujours **invariable**, prend **toujours** un **trait d'union**, qu'il soit **devant** un <u>nom</u> ou **devant** un <u>adjectif</u>. Ouf ! c'est plus simple à retenir !

↞ Elle était **semi-consciente** quand nous sommes arrivés.

↞ Tu conduisais une **semi-remorque**.

Nu

Nu est **adjectif**. Quand il **précède** le **nom**, il est **invariable** et se joint à ce nom par un **trait d'union**. Quand il **suit** ce **nom**, il **s'accorde** comme tout adjectif, et ne prend **pas de trait d'union**.

↞ Il allait **nu-pieds** et tête nue.

Les déterminants numéraux

Ils déterminent le **nombre** (chiffres). Ils sont **tous invariables**, à l'exception du nombre **un** qui peut être **féminin** (**une** seule pomme).

De même, **vingt** et **cent** prennent la marque du **pluriel** s'ils sont **multipliés** (précédés d'un chiffre) et s'ils ne sont **pas suivis** d'un **autre chiffre**. Pour **mille** : p. 154.

↢ Elle avait **quatre-vingts** ans et son histoire avait **deux cents** ans.

↢ Elle avait **quatre-vingt-deux** ans et son histoire, elle, avait **deux-cent-trois** ans.

Notez bien

Pour ajouter à la facilité de l'écriture, vous pouvez maintenant, nouvelle règle facilitante, écrire les **nombres composés** en les reliant systématiquement par des **traits d'union** !

Nous aurons donc mis deux-cent-un ans à tout comprendre !

*R*éussir

La réussite ne fréquente pas les prétextes.
La discipline est la meilleure amie du rêve.
Le destin lui-même loge dans le rêve le plus tenace.
À prendre tous les risques d'être toi-même, tu seras à égalité avec quiconque
sans avoir fortune à compter.
À prendre au sérieux sa magie, ton âme a trouvé son outil.
L'amour de son métier, c'est le meilleur outil de l'amour de soi.
L'amour de sa propre vie constitue la beauté véritable d'une personne.
Le bonheur n'est pas une somme de petites joies, mais la dynamique de nos premiers choix.
Il y aura toujours un chemin ouvert quelle que soit la tempête !
J'ai le doute facile, mais la conviction solide.
Ma fortune est véritable : je suis ce que je voulais être.
On n'a qu'une vie à vivre, c'est trop dangereux, il faut être heureux !
Quand on a fait l'impossible... comme il est bon d'aller danser !

Louis-Gilles Molyneux

Extrait de l'affichette *Réussir* (Les Pelleteurs de nuages)

La *syntaxe*, fête des saveurs !

En parlant et en écrivant, utilisez le bon ordre des mots, pour être compris !

Qu'est-ce, la **syntaxe** ? C'est la facilité à s'exprimer, dans une phrase écrite ou orale, en utilisant le **bon ordre** des mots.

Oralement : les erreurs de syntaxe sont nombreuses, elles pullulent ! Cependant, on peut, et ce, **malgré** les erreurs, se comprendre assez aisément : on demande des explications supplémentaires, on invite l'autre à plus de précision, etc.

Par écrit : il en va tout autrement. La langue écrite est, en quelque sorte, une langue seconde. Le lecteur étant laissé à lui-même (face à votre texte), il vous faut donc utiliser le maximum de ressources (vocabulaire, ordre des mots, ponctuation) pour bien vous faire comprendre.

Notez et retenez que si le texte est court, les paragraphes ne peuvent être longs. En effet, quand le texte est court, chaque idée exprimée l'est également. Or, rappelons-le, **une idée** s'exprime en **un paragraphe**.

Lorsqu'on parle de syntaxe et de règles d'écriture, on aborde un sujet qui pourrait vous sembler interminable et qui, de fait, l'est !

Les règles de base de la **syntaxe** sont évidemment d'éviter **les répétitions** banales (posséder un vocabulaire riche constitue une grande ressource).

De plus, il faut **éviter** d'employer les verbes **être, avoir et faire** à tout propos. Ceux-ci sont vagues, leur surabondance nuit à la compréhension et à la fluidité du texte.

↞ Ainsi, on pourrait remplacer « il **est** vrai que tu souffres beaucoup » par un synonyme : « Il **s'avère** que tu souffres beaucoup. »

Attention : on ne peut dire ou écrire **s'avérer vrai**, car il s'agit d'un **pléonasme**.

↞ « Il **avait** mal » pourrait se traduire par : « Il **souffrait** ».

↬ « J'ai **fait** mon repassage, j'ai **fait** du ski, je **fais** de la peinture », etc. ne sont que quelques exemples de ce verbe « à tout faire », pour citer Marie-Éva De Villers.

Dans ces cas, on **transforme le nom commun** qui suit le verbe *faire* **en verbe** et le tour serait joué ! : « J'ai repassé, j'ai skié, j'ai peint. »

Une bonne recherche de synonymes ou du mot juste, vous le constatez déjà, constitue un moyen très efficace pour éviter la répétition, la redondance, les lourdeurs syntaxiques et les périphrases.

La **périphrase** consiste à employer un groupe de mots (inutiles) à la place d'un seul mot : « J'ai pris des **pilules pour dormir** ». Cette phrase s'allège considérablement en utilisant le mot juste : « J'ai pris des **somnifères**. »

L'usage oral et écrit de : « Il y a... que... » vous oblige à introduire un **qui** ou un **que** dont vous pouvez vous passer. Évitez ces termes en début de phrases et ailleurs.

↬ **Il y a** des gens **qui** marchent très rapidement le matin et **il y a** en a d'autres **qui** vont plus lentement.

Cette phrase peut devenir : « Des gens pressés marchent rapidement le matin et d'autres plus lentement. »

D'autres pièges vous attendent lors de rédaction de textes : les trop **longues phrases** et la **répétition** lourde des **pronoms relatifs** : que, qui, dont. Évitez-les autant que faire se peut.

Voyez, par exemple, cette trop longue phrase, farcie de « qui, que, dont » :

↬ Mélanie, la fille **que** mon père a vue l'autre jour, et **qui** est devenue mon amie depuis, m'a dit **qu'il** fallait **que** je passe la voir la fin de semaine **que** nous avions choisie et **dont** nous avions parlé, afin de commencer à réviser les notions des cours **que** nous avons eus en mathématiques et en français et **qui** lui semblaient plus difficiles **qu'elle** l'avait imaginé.

Cette unique phrase, ponctuée adéquatement (plusieurs courtes phrases) peut très bien se passer de tous ces pronoms relatifs, sans perdre son sens ou son latin !

↬ Mon père avait déjà vu mon amie Mélanie. Elle m'a demandé d'aller chez elle en fin de semaine. Nous réviserons les notions de mathématiques et de français, car elle éprouve de la difficulté dans ces matières.

Évitez de **commencer** une **phrase** par les coordonnants mais ou et.

Évitez aussi les **tournures passives** qui relèvent plutôt de l'anglais.

↝ J'ai été **examinée par** l'ophtalmologiste devient : « L'ophtalmologiste **m'a examinée.** »

Rappel

La **syntaxe** se définit par l'utilisation du bon ordre des mots dans la phrase. **Quelques conseils :**

↝ Utilisez les **synonymes,** afin d'éviter les répétions ;

↝ Recherchez le **verbe adéquat** (si possible, remplacez les verbes **être, avoir** et **faire** par des verbes plus précis) ;

↝ Évitez les **périphrases.** Employez le **mot juste** pour éviter la lourdeur ou la mauvaise interprétation ;

↝ **Ponctuez** adéquatement pour faciliter la compréhension ;

↝ Soyez **concis** et **précis** dans l'écriture de vos phrases. En général, un texte court = des paragraphes courts ;

↝ Négligez les pronoms relatifs **qui, que, dont** ;

↝ Ne débutez pas vos phrases par **mais** ou **et** ;

↝ Fuyez la **forme passive** dans l'écriture et ne commencez pas une phrase par « **Il y a … qui… ».**

Comme vous pouvez le constater, il est très facile de… mal écrire ! Bien écrire, au contraire, ne s'apprend pas par cœur. C'est l'expérience de l'écriture elle-même qui s'avère la meilleure école.

Marcel Duchamp disait, avec autant d'humour que de justesse, que dans le mot « littérature », il fallait d'abord lire les mots et l'impératif suivants : « Lis tes ratures. »

Écrire, c'est donc recommencer à écrire… jusqu'à ce qu'il ne reste que le nécessaire pour se faire comprendre.

À cette vérité s'ajoute cette autre de Stephen King : « Un livre est à sa juste mesure stylistique et syntaxique à 100 % de son contenu moins 10 %. »

Lisons donc nos ratures et transformons le 100 % écrit spontanément en 90 %, raturant le 10 % superflu.

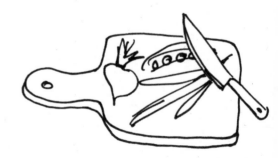

Voyez les phrases suivantes, **mal écrites** d'abord et **corrigées** ensuite (au-dessous en *italiques*).

↙ Il y a des filles qui travaillent vraiment trop fort.
Certaines filles travaillent vraiment trop fort.

↙ La soupe en conserve est dans l'armoire que tu as faite.
La soupe que tu as faite est dans l'armoire.

↙ J'aime beaucoup le chapeau de mon mari qui est sur le comptoir. *J'aime ce chapeau posé sur le comptoir ; il appartient à mon mari.*

↙ J'ai été opérée par le chirurgien dans mon dos.
Le chirurgien m'a opérée au dos.

↙ J'ai vu le chien de ma voisine qui s'enfuyait avec un os.
J'ai vu le chien de ma voisine s'enfuir avec un os.

↙ J'ai fait du travail de bénévole.
J'ai travaillé bénévolement.

↙ Il y a une auto qui est prise dans la neige.
Une auto est prise dans la neige.

La main à la pâte

Dans les prochains textes, j'ai mal écrit. **Corrigez, réécrivez** même ces textes. Attention aux **répétitions banales**, aux **ponctuations**, aux **tournures de phrases**, aux **paragraphes** qui expriment chacun une idée différente. Bref, attention à moi !

Texte 1. J'aimais l'école l'école était pour moi un lieu de ressourcement de bonheur et de joie. J'aimais bien aller à l'école car je voyais des amis que j'aimais beaucoup et en plus à l'école il y avait des professeurs que j'aimais beaucoup. C'était plaisant l'école. On s'amusait à la récréation. Dans la cour de récréation il y avait des enfants qui se lançaient des balles de neige et les enfants qui avaient peur des balles de neige restaient cachés derrière l'école. Et moi je trouvais ça drôle. Quand je suis devenue grande on m'a changée d'école et j'ai perdu mes amis. Parfois, je pense à mes amis et il y en a qui me manquent toujours autant car je les aimais vraiment beaucoup. (corrigé, *Les mordus...*, page 22)

Texte 2. Il y a une étude étudiée en Angleterre qui nous apprend que les écoles mixtes sont des écoles où il y des garçons et des filles et qu'ils sont heureux d'être ensemble dans ces écoles. La mixité les aide à se parler et parfois ils tombent même en amour. Et ça les aide à mieux aimer l'école, car là au moins ils ont une motivation pour y aller. (corrigé, *Les mordus...*, page 22)

La main à la pâte

Écrivez correctement les phrases suivantes, auxquelles il manque soit des verbes, soit des propositions, soit des virgules ou qui sont, tout simplement, mal construites.

1. Je sais ce que je parle. _____
_____

2. Des travaux et des lettres, il y en a sur la table que nous n'avons pas finis. _____
_____

3. Tu as mouché le nez de ton bébé. _____
_____

4. Le téléphone n'a pas été répondu. _____
_____

5. Tu pleures souvent des yeux quand tu pèles les oignons.
_____

6. Il m'a embrassée sur le trottoir et sur les joues. _____
_____

7. Ma mère me donne ce chandail de Chine qui descend à peine de l'avion. _____
_____

8. Il y a des gens qui disent que l'assemblée est longue.
_____

9. Les pilules pour dormir que j'ai prises, j'ai été carrément assommée par elles. _____
_____

10. Voici sur la table la pomme de mon fils qui est trop mûre.
_____

11. Tu as été accueilli par le type qui répare les automobiles.
_____

12. Le courrier est expédié par Paul et par télécopieur.
_____

13. C'est un projet que je m'intéresse à sa réussite. _____
_____

(corrigé, *Les mordus...*, page 23)

ℒes moutons noirs

La berge est noire de moutons blancs. Une véritable vague où tous se bousculent à perdre la laine. Tous sauf... les moutons noirs !

Ils refusent de suivre bêêtement le troupeau. Ils piquent des crochets à l'envers de l'endroit. Ils ont souvent maille à partir avec les patrons. Ils tricotent plus fort que les autres, jamais pour les mêmes motifs. Ils se faufilent toujours au-delà des limites du col. Ils défoncent les barrières sociales. Ils ne jouent plus à saute-mouton sur les clôtures, ne comptent plus se laisser endormir, attendrir ou embrocher. Ils envoient paître le grand bouc.

Aussi... ce sont les premiers qu'on abat.

Francis Pelletier

Pose & Prose de Francis Pelletier, disponible en affiche (Les Pelleteurs de nuages)

Courts, directs et… sans faute__ (avec ou sans S ?)

Lors de production de courriels, vous pouvez donc facilement, et c'est même souhaitable, écrire des paragraphes qui ne contiennent que **deux à trois lignes** chacun.

Le courriel étant une **manière autre d'écrire**, il suscite une façon autre de penser et de comprendre. Plus les paragraphes seront courts, plus votre idée aura tendance à se préciser, **la forme aidant le contenu**.

Lorsque vous produisez des **courriels**, ayez à l'esprit les notions de syntaxe précédentes, car un courriel constitue un **texte écrit**, au même titre que tous les autres textes.

Il vaut la peine de s'arrêter à l'écriture des courriels, car ils demeurent acte de **communication** ; ils visent à livrer des messages dont on attend qu'ils soient clairs et concis pour les destinataires.

---

[1] Guilloton, Noëlle, Cajolet-Laganière, Hélène. *Le français au bureau*, Office de la langue française, 5e édition, Québec, Les Publications du Québec, 2000, p.116.

Le courrier électronique, de plus en plus utilisé au travail, doit respecter certaines règles. La forme de lecture qu'il implique (lecture à la verticale) exige une présentation matérielle plus dynamique, d'où l'importance d'écrire en **courts paragraphes** (deux à cinq lignes), aérés, espacés.

Il ne faut pas, non plus, omettre les **formules de politesse**, en utilisant des formules d'appel et de brèves formules de **salutation**.

Commencez généralement en **nommant** le **destinataire** et **terminez** en **signant** et en fournissant, au besoin, vos coordonnées.

« Il est déconseillé d'écrire un message entièrement en **majuscules** : selon les règles de bienséance d'Internet, les employer équivaut **à crier**. De plus, l'emploi exclusif de majuscules ralentit beaucoup la lecture et nuit à la compréhension du texte. » [1]

Quelques formules d'appel

Toujours suivi d'une virgule, **l'appel** se situe sur une seule ligne et le paragraphe suivant commence par une majuscule.

 Madame X,
Monsieur Y,

Il vaut mieux réserver « Cher Monsieur, chère Madame » aux correspondants bien connus.

Lorsqu'on ne connaît pas le nom du destinataire, on écrira sur **deux lignes** :

 Madame,
Monsieur, (et non : **à qui de droit**).

Quelques formules d'introduction

 En réponse à votre lettre du... par laquelle vous....
 À la suite de... (et non : **suite à**)
 Permettez-moi de...
 J'ai (nous avons) le plaisir de...
(et non : **il me fait plaisir**)
 J'ai (nous avons) le regret de...
 Comme je vous l'ai proposé par téléphone...
 Il nous est malheureusement impossible de...
 En réponse à...

Quelques formules de conclusion

 Avec nos remerciements anticipés, nous vous prions d'agréer, Madame, Monsieur, nos salutations distinguées...
 Cordiales salutations...
 Nous vous **saurions** gré de confirmer...
(et non : nous vous **serions** gré)...
 Dans l'attente d'une réponse favorable...
 Nous vous serions reconnaissants de....

Ré-création

La dictée des à mes risques : donnez une bonne correction à un jeune auteur !

Le nom brille dumond

Jaimeraie me pré-zanté : je ma pelle Alexcendre. Mon paire ai méde-sein mammaire ètai pas sciante, a vent ma nait sens... J'abitaie sont nu t'es russe jusse dèr hier le nom brille. Neme demen de pa pourkoi ny comme ment je me suie re trouver las. Lait par rang ne disse pa toux é scie tue avè vu mont petie doit a set et puck... il ne savai pa dire un seulle maux, come moa !

Lutter russe de mama ment cé taie mont premié a part te ment : une piesse ki sa justè a ma taillle avek un tou peti corps y dort. Ô font, je voiyai se minus kul pas sage ki rétré-sis-sais à la main me vite s ke je gro si c'est. Jammais lit déde pas c par set où vers tur ne mot raie tra-vercer laisse prix... Ma tète èté tro grausse ? Et puit moa; tu s'est laid tunne elles ! Javêt peurres de raisté kuincé. De toutte mani ère, gèté bien la, lojé, nous ris é berssé.

Sa mankêt d'éclairs rages, mets jamets de chôffe-âge. Ta pie mur amure, lis d'os, un corps don, pa de kab. Pa de télé-vizion; nid de télé-fun paire sonne ne venaît me dérenjer, sôf mama ment ki me karessaie de c'est dois de fé, de lôtre koté. je col lait par foie ma petite au reile con tre le mûre toux chô pourre en tandre mon papa me chant et une bersseuse. Scie vou zavier en-tendue sa ! In-poschibe de dort mire !!! A l'or je piochêt, je piochêt, jusse ka se ke mama ment dize, dent zun gran écla de rire : « Grasse, grasse, ont faiera tous se ke tu vous drap, mets arètte ! » je croix ke sait sa un mètre chant heure

S'étaie l'avis a vent l'avis ! gespéraie me l'a koulé dousse pourre l'éther-nité ! L'éther-nité sa durre con bien de tant ? Je nen navet ôkune nidée. Mains tenent, je le s'est. Sa durre n'oeuf moi. Sais trait cours l'éther-nité, vrai ment vrai ment trait cours. Ki à hein-vanter dèchaussent cibels ki durre ci peux ? En toux kâ, moa, qu'en je vêts hêtre gran vous allé voire ce ke vous allé voire. Foie de peti doit et mes moires déléfent.

Francis Pelletier

Extrait d'un conte inédit de Francis Pelletier : *Bébé-Noël* (Les Pelleteurs de nuages)

Découpez et **collez** sur votre texte corrigé.
La dictée des à mes risques

Participez à la fameuse dictée en réécrivant ce texte, <u>sans fautes.</u>
Imprimez votre texte corrigé, **inscrivez** vos coordonnées, **apposez** le coupon, **postez** aux *Pelleteurs* (p. 159).

La fleur et l'arche

Tout ce que l'on pense sans jamais oser le dire...

- Il est si solide et si viril, pense la fleur.
- Elle est si sensible et si fragile, songe l'arche.
- Fondamentalement édifiant !
- Remarquablement florissante !
- Je prétexte le vent et la pluie, le soleil ou la nuit, pour me coller contre lui.
- Bénis soient le vent, la pluie, le soleil, la nuit, la vie qui la poussent contre moi.
- Près de lui, je ne crains plus rien, je suis immortelle !
- Si elle me frôle... c'est fou, moi qui ai résisté à tous les coups,
  j'ai peur de m'effondrer tout à coup.
- Je suis si jeune, si éphémère, je ride si vite...
- Je suis si vieux, si sédentaire... un monument !
- Du bloc d'en face, il m'observe du coin de l'œil, et moi je rougis.
- Ce rouge écarlate qu'elle porte, si naturellement, m'hypnotise !
- Comment lui faire sentir ?
- Son parfum me fait craquer !

Francis Pelletier

Pose & Prose de Francis Pelletier disponible en affiche (Les Pelleteurs de nuages)

Des phrases

Place au poulet !

Vous venez de faire un parcours intéressant, du moins je l'espère, de la grammaire française. Bien sûr, nous n'avons pas tout dit, tout appris ni, non plus, tout retenu. Sachez cependant que plus vous produirez d'écrits, gardant en mémoire ce que contient ce cahier, moins vous aurez d'erreurs et, ce qui est encore plus important, plus vous aurez de **plaisir à écrire**.

1. La poule, qui caquetait derrière la grange, était la plus productive du poulailler, car elle pondait tous les jours.

2. La poule qui caquetait derrière la grange était la plus productive du poulailler, car elle pondait tous les jours.

3. Derrière la grange, la poule qui caquetait était la plus productive du poulailler, car elle pondait tous les jours.

4. Tous les jours, la poule qui était derrière la grange caquetait, car, la plus productive du poulailler, elle pondait.

5. La poule, qui était derrière la grange, caquetait, car, la plus productive du poulailler, elle pondait tous les jours.

Voyez comment, grâce aux ponctuations et aux propositions, la même phrase peut avoir de façons différentes de s'écrire et… de sens différents.

Avec les mêmes 19 mots, j'ai pu faire **cinq** phrases **très différentes**. Le seul déplacement de **virgules**, de **propositions** ou de **coordonnants** peut changer complètement le sens de la phrase.

Reprenons-les et étudions-en le sens.

1. La poule, qui caquetait derrière la grange, était la plus productive du poulailler, car elle pondait tous les jours.

   Ici, nous avons mis en **apposition explicative** (entre deux virgules) la proposition : « qui caquetait derrière la grange ».

   Cela nous **spécifie**, nous **explique** clairement **de quelle poule on parle** : celle qui **caquetait** derrière la grange !

2. La poule qui caquetait derrière la grange était la plus **productive** du poulailler, car elle **pondait** tous les jours.

Ici, vous sentez la différence ? Il n'y a **pas de mise en apposition explicative** (entre deux virgules) de la proposition « qui caquetait derrière la grange ».

Ce que l'on retient, c'est qu'il y a une poule qui caquette et la **spécification** que l'on donne, cette fois, c'est qu'elle est **productive** et qu'**elle pond** tous les jours.

3. **Derrière** la grange, la poule qui caquetait était la plus productive du poulailler, **car** elle pondait tous les jours.

Ici, le **complément circonstanciel** (« **derrière** la grange ») se trouve en **début de phrase**. On **spécifie** donc **où** se trouve cette charmante pondeuse.

De plus, en isolant la **proposition coordonnée** (« **car** elle pondait tous les jours ») à la **fin de la phrase**, on laisse croire que dame poule pond tous les jours **parce qu'elle est derrière la grange**… drôle de raison pour pondre, n'est-ce pas ?

4. **Tous les jours**, la poule qui était derrière la grange caquetait, **car**, la plus productive du poulailler, elle pondait.

Ici, le **complément circonstanciel** « **tous les jours** » se trouve en **début de phrase**. On **spécifie** donc **quand** pond cette charmante poule.

La conjonction de coordination **car** sert à nous faire comprendre qu'elle **caquette** de joie, car elle pond !

5. La poule, qui était derrière la grange, caquetait, car, la plus productive du poulailler, elle pondait tous les jours.

Ici, il y a **plus d'une spécification**.

À cause de la mise en **apposition explicative** (mise **entre deux virgules** de la proposition subordonnée relative « ,qui était derrière la grange, »), nous comprenons où se trouvait la poule au moment où elle caquetait.

La seconde mise en **apposition explicative** nous permet, quant à elle, de savoir **pourquoi elle caquetait** : **car** elle était **la plus productive** du poulailler.

Voilà… vous comprenez maintenant toute la richesse d'une simple virgule ? Vous appréciez mieux ces incompréhensibles propositions ? Dites-vous toujours que ce ne sont pas des règles, mais des aides précieuses qui stimuleront votre esprit créatif à se déployer au maximum.

Plus vous utilisez d'instruments, plus vous en maîtrisez la fonction, meilleurs seront vos textes et… grande sera votre joie de les avoir… pondus !

« *Effeuilleuse cherche relieur.* »

- Francis Pelletier -
Extrait du livre *Coeurs à louer* (Les Pelleteurs de nuages)

L'ange

Le saint enfant sain descendu du sein

L'enfant. Chaque minuscule pore de sa peau soyeuse transpire indécemment l'exultation de vivre, simplement. Comme si le seul fait d'exister pouvait suffire à être... heureux.

De ses petites lèvres s'échapperont les plus grandes vérités, celles que nous rirons aux larmes, bruyamment, pour ne pas les entendre. Cher enfant, il ne sait rien, mais il dit tout.
Nous comprenons tout, mais n'entendons rien.

L'enfant. Il est si beau, si pur, si vrai, si TOUT... J'ai peine à croire qu'il soit de nous.

Parfois je me demande pourquoi nous ne rajeunissons pas au lieu de vieillir...
J'aimerais tellement finir par naître plutôt que par mourir. Finir par être l'enfant de mon enfant, indéfiniment... et alors, ensemble, tout recommencer.

Francis Pelletier

Pose & Prose de Francis Pelletier, disponible en affiche (Les Pelleteurs de nuages)

Les exceptions et les particularités du français, les anglicismes, les tournures à éviter et les pléonasmes

À-côté (un, les) : précédé d'un déterminant, il s'agit d'un nom. Il prend donc la marque du pluriel ou du singulier.

↳ *Un à-côté, des à-côtés*.

À date : attention, il s'agit d'un anglicisme.

↳ Remplacez par : *à ce jour*.

Affaires : il s'agit d'un calque de l'anglais dans les expressions :

↳ Carte d'affaires
Remplacez par : *carte professionnelle, carte de visite*.

↳ Être en affaires
Remplacez par : *être dans les affaires, faire des affaires*.

↳ Heures d'affaires
Remplacez par : *heures d'ouverture*.

↳ Voyager par affaires
Remplacez par : *voyager pour affaires*.

À prime abord

↳ Remplacez par : *de prime abord*.

À qui de droit : dans la formule d'appel d'une lettre ou d'un courriel, n'employez pas « à qui de droit ».

↳ Remplacez par : *Madame, Monsieur* (l'un sous l'autre).

↳ On peut, par contre, utiliser « *à qui de droit* » dans le corps de la lettre, si l'on ne sait pas à qui l'on s'adresse : *Veuillez fournir les renseignements suivants à qui de droit*.

À toutes fins pratiques : rejetez cette forme, calque de l'anglais, *for all practical purposes*.

↳ Remplacez par : *en pratique, à vrai dire, pratiquement*.

↳ *À toutes fins utiles* peut être employé, mais il signifie alors « *en cas de besoin* ».

Argent : il s'agit d'un collectif, aussi est-il fautif de l'utiliser au pluriel. *Les argents* est donc fautif.

  ⇐ Il faut dire ou écrire : *l'argent.*

Au niveau de : n'employez pas cette expression, sauf pour signifier « *à la même hauteur que* », « *à la portée de* », « *à l'échelon de* ».

  ⇐ Dans les autres cas, employez : *en matière de, à propos de, dans le domaine de, en ce qui concerne, du point de vue de, sur le plan de, etc.*

Avérer (s') : n'employez pas *s'avérer vrai* ou *s'avérer faux*, car il s'agit d'un pléonasme, en effet, *s'avérer* veut dire « *vrai* ».

  ⇐ Remplacez par : *s'avérer exact* ou *s'avérer inexact.*

Aviseur : ce mot est un calque de l'anglais.

  ⇐ Remplacez *comité aviseur* par : *comité consultatif.*

  ⇐ Remplacez *aviseur légal* par : *conseiller juridique.*

  ⇐ Remplacez *aviseur technique* par : *conseiller technique.*

Avoir trait à : dans cette expression, *trait* demeure invariable.

Cédule, céduler : il s'agit d'un anglicisme.

  ⇐ Choisissez : *planification, planifier, horaire,* selon le sens.

C'est, c'était, cela... : le pronom sujet (*c', cela*) est neutre et le verbe demeure singulier.

  ⇐ *C'est ma sœur qui est venue. Cela avait été décidé. C'était nos parents qui arrivaient.*

Charge : il s'agit d'un anglicisme ou d'une forme fautive dans les cas suivants :

  ⇐ En charge de
    Remplacez par : *chargé de.*

  ⇐ Charge additionnelle
    Remplacez par : *supplément à payer.*

  ⇐ Charger un prix
    Remplacez par : *demander un montant.*

  ⇐ Charger à un compte
    Remplacez par : *porter à un compte.*

Chez toi, chez moi, chez vous... : s'écrivent sans trait d'union, sauf lorsqu'ils sont précédés d'un déterminant possessif. Ils sont alors noms communs invariables.

  ⇐ *Mon chez-moi, ton chez-toi, notre chez-nous.*

Collègue : évitez d'employer « *des collègues de travail* », car il s'agit d'un pléonasme. En effet, on n'a pas de *collègues de golf,* etc. Utilisez simplement « *collègue* ».

  ⇐ *J'ai un collègue que j'apprécie beaucoup.*

Comme par exemple : il s'agit d'un pléonasme.

⇛ Remplacez par : *par exemple*.

Counseling : ce mot anglais devrait être remplacé :

⇛ Par *conseil en orientation professionnelle*, en éducation.

⇛ Par *gestion*, en ressources humaines.

⇛ Par *consultation*, en psychologie.

Cours : s'écrit toujours avec un *s* lorsqu'il est masculin (cursus, latin). Au féminin, on écrira *cour*.

⇛ *Le cours de la vie, le cours d'eau, le cours de français.*

⇛ *La cour du juge, la cour d'asphalte.*

Dans le cadre de : évitez d'employer ce cliché.

⇛ Choisissez, selon le contexte : *dans les limites de mes fonctions, à l'occasion de...*, etc.

Date et jour : dans le corps du texte, le déterminant « *le* » précède le nom du jour.

⇛ *Je vous verrai <u>le</u> vendredi 8 juin prochain* (et non *vendredi, le 8 juin*).

Devoir : le verbe devoir « *dû* » prend un accent circonflexe uniquement lorsqu'on pourrait le confondre avec l'article contracté « *du* ».

⇛ *J'ai <u>du</u> beurre sur mon pantalon* (article contracté).

⇛ *Il a <u>dû</u> s'absenter* (verbe devoir).

⇛ *Je lui rends les sommes <u>dues</u>* (l'accent n'est pas nécessaire, puisque *dues* ne peut être confondu avec l'article contracté du).

Etc. : doit toujours être précédé d'une virgule et suivi d'un seul point (ne jamais écrire : *etc...*).

⇛ *Il y a du vent, du verglas, de la neige, etc.*

Et ce : encadrez-le toujours de deux virgules.

⇛ *Madeleine travaillait, et ce, pendant tout l'été.*

Et/ou : n'utilisez jamais les deux, choisissez l'un ou l'autre, de préférence « *ou* ».

Faire : le verbe faire s'écrit avec un « *e* » uniquement devant un *r*. Malgré la prononciation, on écrira toujours « *ai* » devant le s.

⇛ *Je f<u>e</u>rai, nous f<u>e</u>rions.*

⇛ *Nous f<u>ai</u>sions, vous f<u>ai</u>siez.*

Faire application : il s'agit d'un calque de l'anglais.

   ⇐ Remplacez par : *faire une demande d'emploi.*

Frais : on note plusieurs mauvais emplois de ce terme :

   ⇐ Frais d'opération
   Remplacez par : *frais de gestion, d'administration, de service.*

   ⇐ Frais de scolarité
   Remplacez par : *droits de scolarité.*

   ⇐ Frais d'inscription
   Remplacez par : *droits d'inscription.*

Il me fait plaisir : évitez cette expression, car le sujet est le pronom impersonnel « *il* » (voir **impersonnel**).

   ⇐ Remplacez par : *cela me fera plaisir, c'est avec plaisir que.*

Impersonnel : les verbes impersonnels tels que : *il pleut, il neige, il vente, il faut* (verbes dont le pronom « *il* » ne réfère à aucune personne) demeurent toujours à la troisième personne du singulier.

   ⇐ *Il nous fallait les voir au plus tôt.*

Item : il s'agit d'un anglicisme. Ce mot n'existe pas en français.

   ⇐ Utilisez, selon le contexte : *point(s) à l'ordre du jour, sujet(s) à l'ordre du jour*, etc.

Jours de la semaine : ils peuvent tous être au pluriel, s'il y a plusieurs *lundis, mardis, mercredis*, etc. Par contre, s'il n'y a qu'un *lundi, un mardi*, etc. on laisse le nom du jour au singulier.

   ⇐ *Je ne pourrai vous voir les lundis et mardis de mars.*

   ⇐ *Tous les lundis, il est malade.*

   ⇐ *Je serai absente les lundi et mardi de la semaine prochaine* (il n'y aura qu'un lundi et un mardi, la semaine prochaine).

Jusque-là : prend toujours un trait d'union.

   ⇐ *Jusque-là, tout allait !*

   ⇐ De même, dans tous les mots où l'on utilise l'adverbe là, en fin de mot : *ce manteau-là, cette femme-là, celui-là, ce jour-là*, etc.

Lettre de référence : calque pour lettre de recommandation.

Ligne (spécialité, **téléphone**) termes fautifs :

   ⇐ Être sur la ligne
   Remplacez par : *être en ligne.*

   ⇐ Gardez la ligne
   Remplacez par : *restez en ligne.*

(suite à la page 154)

↳ Ouvrez ou fermez la ligne
Remplacez par : *décrochez ou raccrochez.*

↳ On a coupé la ligne
Remplacez par : *on a coupé la communication.*

↳ La ligne est occupée
Remplacez par : *le poste de (...) est occupé.*

↳ Appel conférence
Remplacez par : *conférence téléphonique, téléconférence.*

↳ Loger un appel
Remplacez par : *faire un appel, appeler.*

↳ Retourner un appel
Remplacez par : *rappeler.*

Mémo : il s'agit de *mémorandum,* note prise pour soi et que l'on ne veut pas oublier. Ne pas utiliser pour les notes administratives.

↳ *Note ou note de service.*

Mille : il peut s'agir du nom commun (variable) ou du déterminant numéral (invariable).

↳ *Les dix mille*s *qui me séparent de la maison.*

↳ *J'ai reçu dix mille dollars.*

Millier, million et milliard : ce sont des noms communs. Ils peuvent donc prendre la marque du pluriel.

↳ *Les milliard*s *d'insectes, les million*s *de fans...*

Ministère : le mot *ministère* prend une minuscule. Le nom du ministère qu'il désigne prend la majuscule.

↳ *Le ministère de l'Éducation, le ministère de la Justice.*

Monsieur, Madame : ils prennent la majuscule dans le corps du texte, lorsqu'on s'adresse à la personne elle-même. Si l'on ne s'adresse pas à la personne, mais que l'on parle d'elle, on écrira *monsieur, madame,* avec une minuscule initiale.

↳ *Lors de cette réunion, Madame Côté, vous aborderez des sujets variés.*

↳ *Lors de cette réunion, madame Côté abordera des sujets variés.*

Non : s'il précède un adjectif, il ne prend pas de trait d'union. S'il précède un nom, il prend le trait d'union.

↳ *Nous en avons reçu des quantités non négligeables* (précède l'adjectif).

↳ *Le non-conformisme est mal vu* (précède le nom).

Notre, votre : ne prennent pas d'accent circonflexe, ils sont déterminants et accompagnent un nom.

↵ *Notre demeure est belle.*

Nôtre, vôtre : prennent un accent circonflexe lorsqu'ils sont pronoms. Ils sont alors précédés de *le, la, les.*

↵ *Cette maison est belle, la vôtre l'est plus encore.*

Passé date : il s'agit d'un anglicisme. Remplacez-le par l'adjectif *périmé.*

↵ *Ce yogourt est périmé.*

Personnel : il s'agit d'un collectif, aussi est-il fautif de l'utiliser au pluriel. *Les personnels* est donc fautif.

↵ Il faut dire : *le personnel.* Il en va de même pour *l'argent.*

Petite-fille : ce nom prend un trait d'union quand il s'agit non pas d'une fille petite, mais de la *petite-fille* d'un grand-père ou d'une grand-mère. Il en est de même pour *petit-fils.*

Post-scriptum : l'abréviation de post-scriptum est : *P.-S.* Dans une lettre, on ajoute le *P.-S.* après la signature.

Préfixes : les mots dont les préfixes sont latins ou grecs se soudent, ils ne prennent donc pas le trait d'union.

Auto : les noms formés du préfixe *auto*, signifiant « de soi-même », s'écrivent sans trait d'union : *autodérision, autoalarme, autodestruction, autoévaluation.*

On laisse le trait d'union quand le second élément commence par un **i** (*auto-immunité*) et dans *auto-stoppeur, auto-stop.*

Micro : les noms formés des préfixes *micro* ne prennent pas de trait d'union : *microfilm, microstructure, microéconomie.*

Parfois, si le premier mot commence par une voyelle, on l'écrit en deux mots : *micro-informatique.*

Mini : les mots commençant par le préfixe *mini* s'écrivent en un seul mot : *minibus, minigolf.*

On laisse cependant le trait d'union si le premier mot commence par un **i** ou un **o** : *mini-ordinateur.*

Post : les mots commençant par le préfixe *post* s'écrivent sans trait d'union : *postsecondaire.*

Exception : *post-traumatique* et les mots empruntés au latin, tels que *post-scriptum.*

Pré : les mots commençant par le préfixe *pré* s'écrivent sans trait d'union : *préretraite, préavis, préétabli.*

Presque : le **e** de « *presque* » ne s'élide jamais, sauf dans le nom « *presqu'île* ».

↫ *Je suis presque ébahie de te voir.*

Prime de séparation : remplacez par *indemnité de départ, indemnité de cessation d'emploi.*

Quoique, quoi que : Quoique, en un seul mot, signifie *bien que*, sinon on l'écrit en deux mots.

↫ *Il m'aime, quoiqu'il dise le contraire.*

Référer : ce terme est employé de façon fautive. On ne « réfère pas quelqu'un à », *on le confie à, on l'adresse à.* Les expressions *en référer à, se référer à* sont, quant à elles, correctes.

Répondre et les verbes qui finissent en « dre » ne prennent pas de « t » malgré les liaisons sonores.

↫ *Je viens d'arriver, me répond-il.*

Sans doute, sans délai : ces expressions demeurent invariables.

Savoir gré : ici l'expression juste est : « savoir gré » et non « être gré ». *Gré* demeure, quant à lui, invariable.

↫ *Je vous saurai gré de communiquer avec moi.*

Surtemps : calque, employez *heures supplémentaires.*

Téléphone : voir **Ligne**.

Tout autre : au sens de *complètement différent*, tout autre est adverbe et invariable : *C'est une tout autre affaire.*

Au sens de *n'importe quel autre*, tout est adjectif et donc variable : *Toutes autres tâches connexes.*

De toute manière, etc. : parce qu'elles sont locutions adverbiales, les locutions suivantes sont invariables si elles ont le sens de *n'importe quelle, n'importe quel*.

↫ *De toute manière* = de n'importe quelle manière.
↫ *De toute façon* = de n'importe quelle façon.
↫ *De toute part* = de n'importe quel côté.
↫ *De tout côté* = de n'importe quel côté.

Au pluriel, les mêmes locutions adverbiales n'ont pas le même sens.

↫ *De toutes manières* a le sens de *en tout cas*.
↫ *De toutes façons* a le sens de *quoi qu'il arrive*.
↫ *De toutes parts* a le sens de *de tous les côtés*.
↫ *De tous côtés* a le sens de *de toutes les directions*.

Tout à coup, tout à fait : ne prennent jamais de trait d'union.

La *table* est servie...

Voici ce que la chef a concocté **spécialement** *pour vous...*

Auteure de la grammaire :
Christiane Asselin

Direction artistique :
Tatou communication visuelle
et Francis Pelletier

Illustrations :
Geneviève Bellehumeur

Révision linguistique :
Claudette Deschênes
Jessica Genest
Gilles Toupin

Infographie :
Lysane Beauchemin
Francis Pelletier

Impression :
Imprimerie Dumaine

Papier :
Cascades Groupe Papiers Fins
Division Rolland

Reliure :
Reliure RSP

Communication :
Sonia Blain

Édition :
Les Pelleteurs de nuages inc.
425, rue Lacroix, Nicolet, Qc, J3T 1K3
tél. 819-293-2259 / téléc. 819-293-2402
info@lespelleteursdenuages.com
www.lespelleteursdenuages.com

Auteurs et artistes invités :
Jean-Pierre April
Daniel Bélanger
Stéphane Bourguignon
Louis Caron
Richard Desjardins
Jean-Pierre Ferland
Marie Laberge
Linda Lauzon
Roger Mariage
Mes Aïeux
Louis-Gilles Molyneux
Fred Pellerin
Francis Pelletier
Bryan Perro
Gilles Tibo

Distribution au Québec et au Canada :
Les Éditions RDL
102, rue Féré, Saint-Eustache, Qc, J7R 2T5
tél. 1 866 632-1809 / téléc. 450-974-6993
info@editionsrdl.com / www.editionsrdl.com

LES PELLETEURS DE NUAGES

ISBN 978-2-920926-08-0
Dépôt légal - Bibliothèque et Archives nationales du Québec, 2007

Menu *dégustation* des auteurs

Nous vous convions au plaisir de la langue... française !

* Les **ré-créations** sont en gris